Les **demoiselles** du **quartier**

LOUISE TREMBLAY D'ESSIAMBRE

Les **demoiselles** du **quartier**

Nouvelles

Suivi de

La petite demoiselle

Lettre

Illustrées des toiles de
Louise Tremblay d'Essiambre

Guy Saint-Jean
ÉDITEUR

716

Guy Saint-Jean Éditeur
3440, boul. Industriel
Laval (Québec) Canada H7L 4R9
450 663-1777
info@saint-jeanediteur.com
www.saint-jeanediteur.com

. . . .

Données de catalogage avant publication disponibles à Bibliothèque et Archives nationales du Québec et à Bibliothèque et Archives Canada

. . . .

Nous reconnaissons l'aide financière du gouvernement du Canada par l'entremise du Fonds du livre du Canada (FLC) ainsi que celle de la SODEC pour nos activités d'édition. Nous remercions le Conseil des Arts du Canada de l'aide accordée à notre programme de publication.

Canadä ▐▗▐ Patrimoine   Canadian   SODEC ▤▤   Conseil des Arts ✿ Canada Council
         canadien   Heritage   Québec ▤▤   du Canada   for the Arts

Gouvernement du Québec – Programme de crédit d'impôt pour l'édition de livres – Gestion SODEC

Nouvelle édition de *Les demoiselles du quartier* paru en 2003, avec une nouvelle supplémentaire ajoutée.

© Guy Saint-Jean Éditeur inc., 2015

Conception graphique : Christiane Séguin
Page couverture : *Le repos de la couturière,* toile faite par Louise Tremblay d'Essiambre durant un cours en atelier.

Dépôt légal – Bibliothèque et Archives nationales du Québec,
Bibliothèque et Archives Canada, 2015
ISBN : 978-2-89455-964-2
ISBN ePub : 978-2-89455-965-9
ISBN PDF : 978-2-89455-966-6

Imprimé et relié au Canada
1re impression, mars 2015

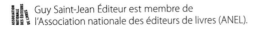 Guy Saint-Jean Éditeur est membre de
l'Association nationale des éditeurs de livres (ANEL).

Table des matières

Note de l'auteur

Souvent, lorsque je prends l'autobus, il m'arrive de croiser de ces Demoiselles venues tout droit d'une autre époque. Dignes, irréprochables, parfois voûtées. Souriantes et timides, ou rêches et sévères. Chapeaux, gants et voilette. Sac à main au cuir usé pressé contre la poitrine. Avançant toujours à petits pas, rapides ou traînants. Odeur de roses et de pain chaud, de violette et de soupe aux choux, parfois de camphre et de liniment.

J'ai eu envie de les suivre.

Voici ce qu'elles m'ont raconté…

Mademoiselle Marguerite

Mademoiselle Marguerite avait repris ses habitudes de célibataire dès le décès de monsieur Théodore. Sans brusquerie, comme allant de soi, parce que restées latentes en marge du quotidien. Douceurs d'une autre époque, terres de jachère longtemps abandonnées, Mademoiselle Marguerite les redécouvrait avec émotion. Elle rentrait enfin chez elle.

Sur le coup de seize heures, sans exception, depuis un an, mademoiselle Marguerite préparait le mélange d'œufs et de lait, infusait le thé.

Une odeur sucrée remplissait aussitôt l'appartement d'un bien-être délectable.

Pain doré à la cannelle. Goût d'enfance, de souvenir, de tendresse. Goût de libération.

Parce que monsieur Théodore, lui, ne tolérait ni le goût ni la senteur de la cannelle.

— Je suis allergique.

Monsieur Théodore était allergique à tout ce qui ne lui convenait pas. Peut-être aussi à mademoiselle Marguerite. Allez donc savoir! Mais il était trop tard pour le demander. Monsieur Théodore était décédé au printemps l'an dernier. Paix à son âme.

Il était sorti de sa vie comme il y était entré : sans crier

gare, tout d'un coup. Il n'avait pas été là et il avait été omniprésent. Il était omniprésent et il n'était plus là. C'était bien
lui, ça. Arriver à l'improviste, repartir sans raison. Et s'im-
poser entre les deux. Comme le bon inspecteur d'école qu'il
avait été !

Monsieur Théodore avait aussi un sens théâtral fort
développé. Quand on est inspecteur, cela va de soi. Gran-
diloquence, autorité, manières exagérées... Il s'était donc
offert une sortie de scène appropriée. La grande révérence
devant son fidèle public. Chez l'apothicaire, en pleine heure
d'affluence. Tout d'un coup, comme le reste, sans prévenir.
Il faisait la file et vlan ! Plus de monsieur Théodore. Il était
parti, comme ça. Sans avertissement. Dérangeant quand
même un peu, ce qui était normal pour quelqu'un qui
s'appelait Théodore et qui était inspecteur d'école dans
l'âme. Les inspecteurs perturbent toujours la routine, c'est
bien connu. Et cent kilos, même portés avec aisance, qui
s'affaissent sur le sol, dans une file d'attente, entre deux
vieilles filles, ça gêne un brin. On a raconté à mademoiselle
Marguerite que l'apothicaire était dans tous ses états. Un fragile assemblage d'os pointus et de peau plissée n'est pas, en
effet, d'un grand secours devant une pièce d'homme comme
monsieur Théodore. Surtout un monsieur Théodore qui
ne voulait plus collaborer. On avait donc appelé Urgences-
santé. Naturellement, on avait aussi rejoint mademoiselle
Marguerite. Pour l'identification obligatoire.

Ce fut la dernière fois qu'elle vit monsieur Théodore en
personne. Si l'on peut l'exprimer ainsi. Sur une civière,
dans un tiroir, à la morgue. Dieu ait son âme. Sans hésiter,
elle avait choisi une veillée du corps dans la plus grande

simplicité. Un seul soir. Pour les convenances. Et la tombe serait fermée. Point à la ligne et pas de discussion. Elle n'avait surtout pas le temps de discuter. Il était presque seize heures, et mademoiselle Marguerite avait un rendez-vous capital. Elle était donc rentrée chez elle de son petit pas pressé. Elle venait de décréter que l'heure du pain doré à la cannelle reprenait ses lettres de noblesse. La trahison avait suffisamment duré.

Elle avait jeté son manteau sur le dossier d'une chaise – quel délice ! –, avait hésité, tendu l'oreille par habitude, et puis dessiné un sourire. C'était bien vrai ! Plus personne pour reprocher, pour ordonner, pour critiquer... Que le tic-tac de l'horloge qui approuvait paisiblement. Elle allait enfin pouvoir perdre son temps en paix. Et déguster son pain doré sans remords.

Mais avant...

Sans hésiter, mademoiselle Marguerite avait trottiné jusqu'à la salle de bain, avait ouvert l'armoire à pharmacie puis haussé les sourcils de découragement. Pauvre monsieur Théodore ! Des tas de petites bouteilles s'alignaient mili-tairement. Des capsules, des dragées, des onguents, des pas-tilles, des comprimés, des élixirs, des baumes... Mais ce n'était pas ce qu'elle cherchait. Où donc se cachait-elle ? Mademoiselle avait fourragé un moment sur la tablette du haut, avait déplacé une bouteille, retiré un tube puis elle avait poussé un soupir de soulagement. La voilà ! D'une main leste, elle l'avait attrapée, avait filé jusqu'à la cuisine et ouvert le robinet. Puis elle avait décapsulé la fiole et, avec un plaisir indicible, elle en avait versé le contenu dans le tuyau de renvoi.

Potion maudite qui avait empoisonné sa vie! Elle avait rincé la bouteille à trois reprises avant de la jeter à la poubelle.

Et maintenant, le pain doré!

Jamais pain doré à la cannelle n'avait été si fondant! Ni si réconfortant...

Elle s'était amusée un moment à imaginer monsieur Théodore s'étalant de tout son long, entre les rasoirs bon marché et les rouleaux de bonbons à la menthe. Ou était-ce entre les revues de décoration et les tablettes de chocolat? La cravate et le veston à carreaux probablement tout de travers. On ne meurt pas subitement sans se retrouver tout croche. Lui si digne!

Une main pudique devant la bouche, mademoiselle Marguerite avait eu un petit sourire.

S'il est vrai qu'un long couloir existe entre ici-bas et l'au-delà et qu'il arrive qu'on ait le temps de jeter un dernier coup d'œil par-dessus son épaule, monsieur Théodore avait dû faire une syncope. Lui qui ne tolérait pas un seul cheveu retroussé, comment accepter d'être si mal venu? S'il n'était pas tout à fait décédé, l'humiliation avait sûrement complété le travail. Il s'était probablement enfui, les jambes prises à son cou. Mademoiselle Marguerite en était convaincue.

Le sourire de cette dernière s'était alors légèrement accentué. L'image d'un monsieur Théodore, tout nu, bedonnant et un peu flasque, courant à toutes jambes, était trop réjouissante. Alors elle s'était taillé une énorme bouchée de pain tout chaud et s'était attardée au plaisir sucré contre son palais.

Puis elle avait repris une attitude de circonstance. Tout de même. Elle était veuve depuis à peine trois heures.

Elle avait même poussé la bonté à essayer d'être honnête. Parce que mademoiselle Marguerite était une femme respectueuse des convenances, fidèle depuis sa tendre enfance aux règles de savoir-vivre. Et monsieur Théodore avait été son mari pendant quarante ans.

Quarante ans! On ne rit plus…

Elle avait donc décidé de voir le dernier salut de monsieur Théodore comme une politesse de bon aloi. Une délicatesse qu'elle n'avait pas espéré de si tôt. La seule qu'il ait eue à son égard. Encore aujourd'hui, elle lui en savait gré. Avouons-le: mademoiselle Marguerite aurait été plus qu'embêtée si son mari lui avait joué le tour d'une telle mise en scène dans leur salon, ou pire, dans son bain. Alors que chez l'apothicaire… La loi des probabilités avait joué en sa faveur. Dieu merci! Il était en effet raisonnable de penser que cela se passerait dans la boutique de la rue voisine. Monsieur Théodore, depuis sa retraite, avait égrené au moins autant d'heures chez l'apothicaire qu'il en avait consacré à son journal, à son dictionnaire médical ou à ses statistiques sportives, gardant les miettes qui lui restaient pour surveiller et critiquer mademoiselle Marguerite, l'inspecteur à la retraite s'ennuyant prodigieusement de l'importance accordée à son rôle.

Heureusement pour mademoiselle Marguerite, l'hypocondrie de monsieur Théodore avait eu une subite recrudescence au moment de sa retraite, laissant chaque jour à la vieille dame un peu de temps pour respirer.

Car, au moindre symptôme d'un quelconque malaise, monsieur Théodore avait consulté. Et ils avaient été nombreux, ses malaises, vrais et faux! Une toux suspecte, une crampe douteuse, une laryngite pressentie, une phlébite anticipée, un cancer évident… Par contre, il n'avait jamais vu le médecin, monsieur Théodore. Absolument jamais.

— Et si le praticien découvrait autre chose qu'on ne soupçonne pas? Quel risque à courir! À notre âge, mademoiselle Marguerite, il vaut mieux être circonspect en tout et ne pas trop se fier à tous ces jeunots qui se prétendent médecins.

Mais une journée sans questionner l'apothicaire aurait été une journée gâchée. Irrémédiablement.

C'est d'ailleurs une de ces toux suspectes qui avait servi de préambule aux fréquentations, brèves mais assidues, entre mademoiselle Marguerite et monsieur Théodore. Elle était enseignante à l'école du quartier – d'où le nom de mademoiselle Marguerite qui l'avait suivie jusqu'à ce jour et que monsieur Théodore s'entêtait à employer de préférence à tout autre –, et pour sa part il entamait sa tournée annuelle. C'était un assez bel homme, dans la force de l'âge, à la moustache bien cirée, aux cheveux gominés comme ils se devaient de l'être à l'époque. Il avait le propos sage qu'il déclamait d'une voix grave tellement séduisante. Et si les élèves étaient nerveux, cœur battant et mains moites, le craignant tant pour sa sévérité proverbiale que pour la précarité de leur savoir, les enseignantes l'étaient tout autant. Mais pour une tout autre raison.

Monsieur Théodore était toujours célibataire.

Cette année-là, donc, il était entré dans la classe de mademoiselle Marguerite, un mouchoir amidonné à la bouche.

— Pour éviter la propagation des microbes, avait-il déclaré à voix basse, passant tout de même devant elle mais conservant une distance respectable, vu les microbes qui sont enclins, de par leur nature justement, à sauter sur toute âme qui vive... La grippe est mauvaise, cet automne, mademoiselle Marguerite. Très mauvaise.

Un raclement de gorge avait confirmé le tout.

Puis il avait pris place sur l'estrade pour le bombardement en règle des trente têtes pour une fois bien coiffées qui levaient un regard craintif dans sa direction.

Tout au long de l'interrogatoire serré, mademoiselle Marguerite s'était tenue discrètement dans un coin arrière de la classe, comme le voulait la tradition, triturant nerveusement la manchette blanche de sa sévère robe noire à col montant. Mais cette année-là, ce n'étaient pas les réponses de ses élèves qui l'inquiétaient. Elle les écoutait à peine. Ils étaient bien préparés. Leurs réponses récitées d'une voix sûre et claire le prouvaient. Non, cette fois-ci, c'était la toux de monsieur Théodore qui la préoccupait à un point tel qu'elle repassait mentalement la liste succincte des ingrédients d'un élixir concocté depuis des lunes par les femmes de sa famille. Son origine en remontait à l'aube des temps. Et chaque automne, religieusement, comme sa mère, sa grand-mère et son arrière-grand-mère avant elle, mademoiselle Marguerite entreprenait son pèlerinage sur le mont Royal, recueillant précieusement une fiole de gomme de sapin. Un peu de miel, ou à défaut un peu de sucre, une larme d'alcool, de l'eau... À ce jour, aucune toux n'avait résisté à cette potion. Cependant, comment attirer l'attention d'un inspecteur d'école qui s'aperçoit à peine que vous existez ? Comment oser croire qu'un homme tel que lui, érudit et cultivé, pût se fier à un remède de bonne femme ? Même s'il avait fait ses preuves !

Une toux plus violente que les autres avait précipité sa décision.

Un mois plus tard, miraculeusement remis de sa vilaine grippe, monsieur Théodore avait demandé la main de mademoiselle Marguerite. À la mère directrice, à défaut de parents à ce moment décédés. Pour monsieur Théodore, continuellement enclin à diverses maladies – que voulez-vous, la nature s'était montrée avare envers lui –, une femme qui connaissait les hommes et leurs malaises et savait les guérir aussi facilement avait tout ce qu'il fallait pour plaire. L'envie un peu jaunâtre aperçue dans le regard de ses consœurs avait suffi pour que mademoiselle Marguerite acquiesçât en rougissant sans se poser autrement de questions. Désormais, on allait l'appeler madame Théodore… Elle se démarquerait du troupeau des enseignantes du collège. Madame ! Le mot lui coulait dans la gorge comme une cuillerée de miel… Elle venait d'avoir trente-huit ans, cette perspective l'attirait irrésistiblement.

Malheureusement, il n'y avait eu de madame Théodore que le temps d'un bref voyage de noces, frileusement subi au Chantecler dans les Laurentides. Tout juste une nuit pour comprendre que son inspecteur de mari l'était jusque dans le lit, à savoir, cassant et autoritaire. Mademoiselle Marguerite avait compris en même temps qu'elle n'avait pas l'âme d'une épouse attentionnée. De retour à la maison, madame Théodore était redevenue mademoiselle Marguerite, pain doré en moins, monsieur Théodore y étant allergique. Et de maîtresse d'école par vocation, mademoiselle Marguerite avait dû se transformer en infirmière par devoir deux ou trois fois par semaine. Sa nouvelle profession l'avait attendue, camouflée derrière les fourneaux. Monsieur Théodore avait eu tôt fait de la récupérer d'un simple éternuement.

— J'ai dû prendre froid dans cet hôtel. Nous ne devrions jamais voyager, mademoiselle Marguerite. Trop de gens ignorent les règles simples de la plus élémentaire des hygiènes. Est-ce que vous me feriez couler un bain chaud, ma mère disait que c'est souverain pour casser une grippe… En vous remerciant, mademoiselle Marguerite.

Mademoiselle Marguerite ! Elle avait levé les yeux au ciel et prié sa pauvre mère décédée de la soutenir. On était encore à une époque où les liens sacrés du mariage l'étaient pour la vie.

— Mademoiselle Marguerite ! Le bain n'est pas assez chaud… Et je prendrais bien un lait au miel. Avez-vous pensé à chauffer les couvertures du lit, mademoiselle Marguerite ? Il me semble qu'une poussée d'arthrite se pointe le nez…

Mademoiselle Marguerite par-ci, mademoiselle Marguerite par-là.

Tant qu'à s'appeler encore mademoiselle Marguerite, autant le rester. Elle avait donc continué à enseigner, les heures passées à l'école lui permettant de supporter tout le reste. Jusqu'au jour où le gouvernement, par une adroite circonvolution de l'esprit, avait évincé de leur couvent les bonnes sœurs alors décimées par l'âge et les mœurs nouvelles. En effet, ce n'était plus humiliant d'être vieille fille : on disait maintenant célibataire. Alors on n'entrait plus en religion. Les prospects se faisaient rares et les couvents manquaient d'effectifs. Le gouvernement en avait alors profité pour s'emparer de l'éducation et des écoles. Mademoiselle

Marguerite se souvenait de ce jour-là. Il avait été celui du regret à l'état pur. Si elle eût été religieuse, et Dieu lui était témoin qu'elle eût dû l'être, elle, mademoiselle Marguerite, eût su tenir tête à ce Jean Lesage. Mais bon... Elle n'était qu'une demoiselle Marguerite mariée à un monsieur Théodore, ce qui ne voulait rien dire pour ces fonctionnaires du gouvernement. Elle avait donc pris une retraite anticipée et s'était inscrite, en accord avec monsieur Théodore, aux dames patronnesses, aux Filles d'Isabelle et aux dames de Ste-Anne.

— Si vous ne négligez en rien notre humble logis et que le souper est prêt à l'heure, je ne vois aucun inconvénient à ce que vous occupiez votre temps aux bonnes œuvres, mademoiselle Marguerite. Nous n'en obtiendrons que plus d'indulgences...

Même à la retraite, l'inspecteur avait veillé au grain, profitant toujours du travail des autres pour l'édification de son autel personnel!

Mademoiselle Marguerite avait eu un soupir discret puis un haussement d'épaules imperceptible. Que le diable l'emportât, lui, ses malaises, ses pompes et ses œuvres!

Mademoiselle Marguerite avait alors cinquante-cinq ans, et les journées s'étaient dorénavant écoulées entre monsieur Théodore et ses maux et quelques consœurs qu'elle retrouvait avec plaisir, conservant ses appels au diable pour le soir et le matin quand elle ne pouvait décemment éviter monsieur Théodore. «Qu'il aille au diable!» et «Que le diable l'emporte!» étaient devenues ses expressions préférées, des incantations qu'elle formulait après sa prière du matin et avant celle du soir.

Probablement harassé de s'entendre interpellé à tout propos, le diable l'avait enfin écoutée. À moins que ce ne fût le bon Dieu qui avait décidé de sauver son âme.

Peu importait…

Bien inspiré, par Dieu ou diable, monsieur Théodore avait eu la prévenance de tirer sa révérence avant qu'il ne fût trop tard. Mademoiselle Marguerite aurait le temps de redevenir mademoiselle Marguerite pour de bon. Une prière de gratitude avait souligné ce départ précipité, un peu par crainte, davantage avec la volonté de croire que c'était le bon Dieu qui avait probablement eu le dernier mot à dire.

Elle avait joyeusement jeté le pain complet aux oiseaux et acheté une fesse toute blanche et moelleuse, de ce nouveau sucre à la cannelle qui sentait si bon et une douzaine d'œufs tout frais. Elle avait aussi caché le réveille-matin au fond du placard.

— L'avenir appartient à ceux qui se lèvent tôt, mademoiselle Marguerite. Même le samedi ! lui avait déjà dit monsieur Théodore.

Mais à soixante-dix-huit ans, veuve de son état, mademoiselle Marguerite avait jugé que son avenir était loin derrière elle. Et elle s'était inscrite au bingo… avant d'entreprendre un deuil que les bonnes manières imposaient. Toujours ces fichues convenances. Six mois de noir, six mois de gris, tout comme sa mère l'avait fait lors du décès de son père. Jamais un bijou. Jamais un sourire. Et parfois même, une tristesse dans l'œil.

— Le pauvre homme. Partir si vite…

Les connaissances de mademoiselle Marguerite en matière de deuil s'arrêtaient là. De toute façon, elle avait estimé qu'elles étaient largement suffisantes pour respecter la mémoire d'un monsieur Théodore qui n'avait jamais respecté que lui-même.

Et ce matin, voilà que cela faisait un an, jour pour jour, que monsieur Théodore n'était plus.

Pour une dernière fois, paix à son âme et merci Seigneur.

Le deuil était enfin terminé.

Au réveil, mademoiselle Marguerite a eu un sourire. Puis elle a sorti sa robe violette et son collier de perles. Ce soir, il y aura bingo au sous-sol de l'église. Ce soir, avec un peu de chance, il y aura aussi ce gentil monsieur à la cravate grise, régulièrement assis à la table voisine. Ce gentil monsieur qui a une douceur dans le regard. Une douceur qu'elle n'avait jamais rencontrée dans le regard d'un homme. Il lui sourit chaque fois qu'elle se rend au bingo. Et même pour une mademoiselle Marguerite, échaudée par une vie maritale décevante, le cœur a ses raisons que la raison ignore !

Mademoiselle Marguerite s'est faite belle, autorisant même un peu de rouge sur ses lèvres.

Le deuil est vraiment terminé.

Après le pain doré à la cannelle, elle s'est rendue immédiatement au sous-sol de l'église. Ce soir, c'est au tour des Dames de Ste-Anne de préparer la salle. Le prétexte la sert à merveille. Elle est nerveuse comme une adolescente. Elle a donc trottiné jusqu'à l'église en pensant au sourire du gentil monsieur à la cravate grise.

Le rouge aux lèvres de mademoiselle Marguerite a fait monter le rouge aux joues du gentil monsieur. Dilemme et torture… C'est qu'elle est très jolie avec sa robe de couleur ! Il s'enhardit finalement à se diriger vers la table où elle est assise.

Sourire timide, hésitation, puis un virulent éternuement.

— Vous permettez ?

Mademoiselle Marguerite a levé un sourcil circonspect. Atchoum ? Mais, politesse oblige, elle fait tout de même un léger sourire.

— Je vous en prie.

Chaise que l'on bouge, jetons en belles piles bien droites. Atchoum ! Puis, l'on se jette à l'eau.

— J'ai remarqué que vous étiez une assidue au bingo du samedi soir.

Quelle audace !

— Tout comme vous.

— C'est vrai.

Discret soupir de soulagement. Atchoum ! On a donc remarqué. Tant mieux.

— B 6.

Suivi de G 54... Une heure de regards en coin, de sourires polis et d'éternuements réguliers. « Tiens, la cravate est bleue, ce soir. » Tout comme sa robe est violette.

La douceur du regard atténue l'agression des éternuements.

Puis c'est la pause.

— Vous prendriez un café ?

— Plutôt un thé, je vous prie.

Deux breuvages fumants entre deux personnes sensiblement du même âge, cela concède une certaine liberté, non ? Alors on a osé.

— Je me présente : Théodule Breton. Et, sans indiscrétion, puis-je savoir votre nom ?

Théodule ? Une vive inquiétude traverse aussitôt le regard

de mademoiselle Marguerite. Et le sourire de son charmant voisin s'estompe curieusement dans la brume opaque de son nom. S'ensuit un éternuement triple. Atchoum, atchoum, atchoum!

Alors Théodule devient une certitude. Aussi brève que convaincante.

Le cœur vient de retrouver toute sa raison.

Décidément, Théodule sonne étrangement à ses oreilles. Atchoum!

— Je m'excuse, mais chaque printemps, j'ai ce même rhume qui m'agresse.

Atchoum! Pauvre homme, il fait pitié à voir. Mais le cœur de mademoiselle Marguerite est brusquement aussi dur et insensible que la pierre.

Sans l'ombre d'un doute, Théodule, cela ressemble à Théodore, n'est-ce pas? Et même à tous les Théodore de cette terre. Comme le disait si bien sa mère, un homme restera toujours un homme, douceur dans l'œil ou non. Alors mademoiselle Marguerite se lève. Soulagée. «Merci maman!» Par contre, politesse oblige, elle tend la main. Mais une main plus que distraite.

— Marguerite. Je m'appelle mademoiselle Marguerite, monsieur Théodule. Enchantée. Mais veuillez m'excuser, on m'attend là-bas. On se reverra peut-être plus tard?

Puis elle disparaît en direction du vestiaire. Théodule! Non mais vraiment...

Un atchoum! plus énergique la rejoint même sur le seuil de la porte et la fait se précipiter à l'extérieur.

De son pas trotte-menu, elle revient chez elle comme si elle avait le diable à ses trousses...

Sait-on jamais…

L'odeur de cannelle qui imprègne tous les coins et recoins de son logis est réconfortante comme la caresse d'une mère.

Aujourd'hui, très précisément, cela fait un an que monsieur Théodore est décédé. Elle ne va quand même pas le remplacer par un Théodule !

Quelle drôle d'idée elle a eue !

Pour célébrer ou l'événement ou la décision, mademoiselle Marguerite va permettre une entorse à sa routine. Elle va se refaire du pain doré à la cannelle. Même s'il est largement dépassé seize heures. Et qu'elle en a déjà mangé aujourd'hui. Une fois n'est pas coutume.

C'est en se régalant qu'elle repense au gentil monsieur avec son gentil sourire. Elle n'a pas été très avenante, elle si respectueuse des convenances. Mais allez donc savoir ce qui se cache derrière tout ça !

— À notre âge, mademoiselle Marguerite, il vaut mieux être circonspect en tout, lui aurait dit monsieur Théodore.

Il ne croyait pas si bien dire. Parce que, à y regarder de près, monsieur Théodore, même s'il n'était pas du tout le monsieur Théodore qu'elle aurait souhaité, avait parfois raison. Alors…

Bouchée de pain doré, gorgée de thé, les yeux mi-clos.

Alors ? Mademoiselle Marguerite dessine une moue de déception. Elle aime bien le bingo. Elle hausse les épaules avec résignation.

Bouchée de pain doré, gorgée de thé, les yeux mi-clos.

Puis elle sourit avec désinvolture. Alors ?

Alors elle écartera le bingo au profit des marchés aux puces. Voilà tout ! Depuis quarante ans qu'elle rêvait d'y aller, alors que monsieur Théodore jugeait que c'était une perte de temps.

Autre bouchée fondante au goût de douce vengeance.

D'ailleurs, n'aurait-elle pas, par le plus grand des hasards, quelques bouteilles anciennes, fioles et contenants qui pourraient faire les délices de quelque collectionneur d'antiquités ? Et ce vieux chapeau et cette redingote ? Et pourquoi pas ces vieilles bottines montantes et ce pantalon rayé ? Peut-être aussi cette épingle à cravate démodée et tous ces mouchoirs de lin fin qu'elle a lavés avec dégoût. Ces vieilles cravates sombres et...

La liste s'allonge sans fin...

Car, finalement, à bien y penser, mademoiselle Marguerite elle était née, mademoiselle Marguerite on avait décidé qu'elle vivrait, alors, mademoiselle Marguerite elle restera !

Miss Cecilia Thompson

Au matin des noces, elle avait exigé que l'on continuât à l'appeler Thompson.

La lubie persistait.

Gérald Desmarteaux avait levé les yeux au ciel pour la forme. Souverain mépris de sa promise. Miss Thompson avait passé outre comme elle passait devant lui dans un bruissement de robe en taffetas. Il connaissait son point de vue sur la question, et Miss Thompson détestait devoir se répéter. Desmarteaux était franchement ridicule. *Hammer...* Quelle idée que de s'appeler *hammer*!

C'était surtout fort embarrassant à prononcer en français.

Il y eut donc une Cecilia Thompson, épouse d'un Gérald Desmarteaux. Le prénom de son époux lui donnait suffisamment de fil à retordre comme cela. Mais ce n'était que pour un temps. La solution était déjà trouvée. Suffisait simplement d'attendre le bon moment.

Et Cecilia Thompson était une femme patiente.

Ils s'étaient connus à la clinique du Dr Phillip Thompson, *jr*, fils du Dr Phillip Thompson, *son* et petit-fils du Dr Phillip Thompson tout court. Dans la famille, on était Phillip et dentiste de père en fils comme d'autres se lèguent la terre ancestrale de génération en génération. C'était un privilège :

l'avenir ne causait aucun souci. Pas de questions à se poser ou de dilemme cartésien face à sa destinée : on serait dentiste puisqu'on s'appelait Phillip. Et les habitudes du quartier ne seraient pas bousculées.

Jusqu'à Phillip Thompson, jr.

Parce que, cette fois-ci, point de relève : il n'y avait qu'une Cecilia pour lui survivre.

On engagea donc, à contrecœur, un stagiaire fraîchement sorti de l'université, bardé d'un diplôme en béton, mention grande distinction, porteur de techniques nouvelles et affichant une suffisance superbe que des liens filiaux respectueux tenaient habituellement en laisse. Cette embauche restait une solution. La solution. Et il était compétent. On aurait pu croire que le problème n'en était plus un : la clientèle serait rassurée. Pourtant, chaque matin, quand le Dr Phillip Thompson, jr arrivait à sa clinique, il avait un coup au cœur en levant les yeux sur la façade de la vénérable demeure en pierres. Les jours de la plaque de bronze du *Thompson, Dental Office* étaient comptés. Ses heures de gloire tiraient à leur fin. Car il était évident que le jour où Phillip Thompson, jr tirerait sa révérence, Gérald Desmarteaux changerait tout cela à sa convenance. Invariablement, les épaules de Phillip Thompson, jr s'affaissaient d'un cran. Il avait la certitude de trahir la mémoire de tous les Phillip Thompson de sa lignée. Son grand-père devait se retourner dans sa tombe.

Jusqu'au jour où Cecilia et Gérald firent plus ample connaissance.

Miss Thompson correspondait en tous points à l'image que Gérald Desmarteaux s'était faite d'une Anglaise de bonne famille. Grande et plate, le cheveu terne, le regard vide, le sourire équin. Elle s'habillait invariablement de jupes à plis camouflant ses hanches pointues, de chemisiers bouffants dissimulant une poitrine inexistante, de souliers aussi plats que ses grands pieds. Comme quoi il n'y a jamais de fumée sans feu et que les légendes les plus farfelues cachent toutes un fond de vérité.

Malheureusement pour Cecilia, Gérald avait un penchant pour les blondes plantureuses en robes vaporeuses et à talons hauts...

Mais c'était sans compter les calculs insidieux de l'esprit de celui-ci.

Les blondes plantureuses qui apportent en dot un cabinet bien monté et une clientèle toute faite ne sont pas légion, c'est bien connu. Gérald Desmarteaux vécut alors le plus grand combat intérieur de toute sa vie. Mais l'idée était lancée... Et défendable! Contre toute attente, il avait donc effectué un virage à cent quatre-vingts degrés, délaissant les blondes plantureuses au profit de la jeunesse anglaise. Et, à partir de ce jour, il s'appliqua, avec la dernière énergie, à débusquer les charmes fort bien cachés des fidèles sujets de Sa Majesté. La perspective d'un compte en banque bien garni n'était pas étrangère à sa démarche.

La même approche joua dans le sens inverse.

À défaut de l'être elle-même, Cecilia Thompson savait depuis toujours qu'elle épouserait un dentiste. Élevée dans l'opulence, elle ne pouvait envisager l'avenir sous d'autres cieux. On vivait bien de cette profession: il n'y a jamais de période creuse quand on s'occupe des dents creuses. Elles sont de toutes les saisons. Miss Cecilia regimba quand même un peu, intérieurement, lorsque son père engagea un francophone. «Oh my Lord!» Puis se raisonna. Ce n'était là que léger détail. Un détail qu'elle réglerait en temps et lieu. Dès lors, elle s'appliqua à élaborer son plan d'attaque contre celui qui s'appliquait à inventer ses charmes. Qu'il s'appellât Gérald Desmarteaux ne fut donc qu'un élément négligeable dans sa stratégie.

Elle avait promis à son père que la plaque de bronze resterait bien en vue. Elle ne devait en aucun cas perdre l'objectif de vue.

Miss Cecilia Thompson tenait toujours ses promesses.

La grande Anglaise et son promis convolèrent en justes noces par un beau matin de juin, sous les regards humides des deux familles qui ne se croisèrent qu'à cette occasion.

De cette union naquirent quatre fils, un par année pour en finir au plus vite avec la corvée. Leur nombre était le premier élément de la stratégie de Miss Cecilia. Un seul fils n'était pas suffisant, les coutumes étant de moins en moins respectées. Il y en aurait donc quelques-uns de rechange en cas de besoin. Daniel, Joseph, Robert et Martin. Et remarquez-le bien : tous des prénoms orthographiés identiquement dans les deux langues officielles. Ce fut là la seule revendication du père et l'unique entorse au programme de Cecilia. Elle serra ses lèvres pincées sur cet affront de lèse-majesté – au désespoir de Phillip Thompson, jr, il n'y aurait pas de Phillip – se disant, à juste raison, qu'il faut ferrer le poisson avant de le pêcher et, à fortiori de le manger. Ainsi donc, il y eut officieusement quatre petits Thompson pour les Thompson et officiellement quatre petits Desmarteaux pour les Desmarteaux et tous les autres. Les mœurs de l'époque le consacraient ainsi. Tout comme il y eut *Tom Thumb* versus Le Petit Poucet, *Jack and the bean stalk* versus *Jacques et le haricot magique,* seuls *Hansel et Gretel* s'accommodant dans les deux langues.

Et le temps passa, les tendres années des petits Desmarteaux bercées par la voix nasillarde et toute shakespearienne d'une Thompson d'honnête ascendance.

Ce fut au matin des cinq ans de Daniel que Miss Cecilia passa à la phase deux de son plan.

L'heure avait sonné. Elle joua de son charme maternel pour inciter ses enfants à vouloir s'inscrire à l'école anglophone. C'était là un privilège relié à leur ascendance, on ne pouvait le contester, encore moins l'ignorer. L'anglais était, qu'on le voulût ou non, la langue universelle, celle des affaires, de la diplomatie et des sciences. Quel atout pour ces jeunes hommes de bonne famille! On n'avait donc pas le droit de les en priver. Gérald acquiesça de bon gré. Il était tellement fier de ses fils qu'il ne pouvait rien leur refuser. Et comme c'était eux qui en avaient fait la demande…

Ils quittèrent tous les quatre le *high school* avec des notes honorables. Ils étaient des gentlemen irréprochables, des sportifs accomplis, dignes représentants de la lignée Thompson. Cecilia y avait vu scrupuleusement chaque jour de leur vie, et l'école avait peaufiné le tout. Ne restait que le nom, planté comme une épine douloureuse dans leur esprit de Thompson, car pour le reste, ils avaient opté, tous les quatre, pour la médecine dentaire. L'éducation maternelle avait porté fruit au-delà des espoirs les plus optimistes de Cecilia.

La suite du programme n'en serait que plus facile.

Comme il faut battre le fer quand il est chaud, quelques semaines avant la majorité de Daniel, son fils aîné, Cecilia jugea qu'il était grand temps de passer à la phase trois de son plan, puisque Gérald Desmarteaux parlait de changements visibles en façade de l'immeuble.

— J'ai bien envie de faire graver une nouvelle plaque…

Miss Cecilia Thompson fit celle qui ne comprenait toujours pas le français et continua à préparer le plum-pudding…

Puis s'empressa de jouer de son charme auprès du seul homme qui y était vraiment sensible. Le Dr Phillip Thompson, jr, depuis peu à la retraite, écouta, s'émut, approuva et délia les cordons de sa bourse. Avec un bon avocat, à leur majorité, les quatre fils Desmarteaux allaient enfin devenir Thompson. Ce n'était qu'une formalité dont maître Courtney se chargea avec plaisir pour Daniel et Joseph, à un an d'intervalle, la loi modifiée s'occupant commodément de Robert et Martin, l'année suivante. Preuve, s'il en était besoin, que Cecilia avait raison.

L'engagement pris au matin des noces était respecté. La plaque de bronze du *Thompson, Dental Office* pouvait dormir en paix : cette fois-ci, la relève était assurée !

Ce fut le jour où Robert et Martin reçurent leur confirmation officielle de changement de nom que les hostilités éclatèrent au grand jour.

La guerre froide était révolue. Quand la diplomatie est dépassée par les événements, on doit se résigner au corps à corps.

Mais les forces en présence n'étaient pas à égalité. Gérald Desmarteaux n'avait pas vu venir ce coup en bas de la ceinture, occupé qu'il était à nourrir, habiller et faire instruire quatre petits Desmarteaux aujourd'hui Thompson. Et en anglais ! Quelle ironie…

Il tempêta à grand renfort de cris, argumenta pour la forme, menaça faiblement puis se tut. L'ennemi était un adversaire redoutable. Il fourbissait ses armes depuis plus d'un quart de siècle à même les deniers de Gérald Desmarteaux. Le pauvre bougre n'était pas de taille. Avant d'y laisser sa peau, il abdiqua, préférant fuir le champ de bataille le plus souvent possible. Regrettant amèrement de ne pas avoir su tenir tête à son esprit calculateur quand il en était encore temps. Les Anglaises aux dents longues – quelle horreur pour un dentiste! – cachent toutes une sorcière en puissance. Il aurait dû se méfier.

Il troqua donc son petit gin tout à fait British du samedi soir, dégusté correctement dans la chaleur de son foyer, pour un pastis bien français de tous les jours, pris à la sauvette au bistro du coin de la rue tenu par une blonde à la poitrine invitante. Il n'aimait pas le pastis mais, que voulez-vous, ses humeurs devraient s'en accommoder. Il compensait cet inconvénient par la vue réjouissante d'une serveuse avenante. C'est aussi à ce moment-là qu'il décréta qu'après avoir bien cherché, il pouvait déclarer, en toute honnêteté, n'avoir trouvé aucun charme à ces très respectables dames de l'empire britannique.

Ne restait que ses fils qui arrivaient encore à le ramener au domicile conjugal. Pauvres enfants, ils n'y étaient pour rien dans ce désastre, ils avaient subi un très anglais lavage de cerveau. Cruelle constatation: il aurait dû dépasser le stade du Petit Poucet avec eux. À la colère se greffa donc le regret. Et une prodigieuse culpabilité qu'il porta en lui comme on porte le deuil d'un ami sincère.

Pour s'en sortir, il décida de doubler puis tripler les pastis et il épancha ses déboires dans l'oreille compatissante de la jolie blonde au décolleté plongeant. C'est ce que mademoiselle Irène préférait de son métier. Le côté psychologique...

Et ce qui devait arriver arriva.

Il sortait du bar de mademoiselle Irène, l'esprit brumeux tant par l'alcool que par le regard langoureux de ladite demoiselle. Habitué qu'il était au rythme du quartier, il s'engagea dans l'artère principale sans la moindre prudence. Il était ici chez lui, qu'est-ce que vous pensez! Depuis le temps... Il se dirigeait donc vers la clinique pour récupérer son portefeuille oublié dans la poche de son sarrau. Il se devait de payer mademoiselle Irène avant de retourner chez lui. C'était une question de principe.

On était au printemps, il faisait beau, et c'était bien la première fois depuis des années que Gérald Desmarteaux se sentait aussi bien dans sa peau. Il n'était pas complètement fou. À preuve, mademoiselle Irène était bien d'accord avec ce qu'il alléguait. Cecilia n'avait pas été honnête avec lui. Il se délectait justement de ses propos au moment précis où il s'engagea au carrefour.

Il ne vit rien venir. Le conducteur fit tout son possible pour l'éviter, mais peine perdue...

Quand Cecilia Thompson arriva à l'hôpital, une infirmière l'attendait au poste central du troisième étage. On y avait amené, dans l'heure précédente, un homme inconscient, sans papiers. Mais la police tenait de source non officielle qu'il s'agissait d'un certain dentiste du quartier. On avait donc procédé aux recherches. Quelques appels sans réponse probante puis une certaine Cecilia Thompson à l'autre bout du fil.

— *Oh sorry… I speak English… My husband? No, he is not here. What did you say? Oh! My goodness… You said the hospital?*

Miss Cecilia entra dans la chambre sur le bout de ses longs pieds, flanquée du médecin qui n'espérait qu'un nom à mettre sur le dossier. Le reste suivrait bien son cours. Pourvu qu'il y eût un nom…

Miss Cecilia s'approcha du lit. Le médecin aussi. C'est à cet instant que Gérald ouvrit les yeux, sentant une présence. Il entendait tout, voyait tout, mais c'était là le seul contact qu'il avait avec le monde des vivants. Que s'était-il passé? Il n'en savait rien. Peut-être était-il mort, puisque son corps ne répondait plus? Cecilia le regardait.

Brusquement, elle dévoila ses dents trop longues dans un large sourire. Les yeux du médecin qui l'observait attentivement s'écarquillèrent. L'espace d'une fraction de seconde, à l'instant précis où Cecilia Thompson offrait la navrante image de ses dents équines, il serait prêt à le jurer, le nez de la digne dame avait gagné en centimètres… Le pauvre médecin ferma les yeux et soupira. Les longues heures de garde commençaient à peser lourd sur son esprit. Pendant ce temps, à des lieux de toutes ces considérations, Cecilia s'entêtait à sourire. La boucle allait enfin se boucler. Le règlement du léger détail qui la tarabustait depuis sa rencontre avec Gérald s'offrait à elle sur un plateau d'argent. Et le nom de Gérald se prêtait si bien au subterfuge!

— *Yes, this man is my husband. His name is Jerry Thompson.*

Compte tenu des circonstances, l'appui de maître Courtney pour régler ce léger changement ne devrait soulever aucune difficulté. Quoi de plus naturel qu'un Desmarteaux voulût devenir Thompson alors qu'il vivait amoureusement entouré d'une famille Thompson!

— *Yes, his name is Jerry Thompson*, répéta-t-elle plus fortement.

À ces mots, Gérald Desmarteaux se souvint, comprit en un éclair et referma les yeux. Les Thompson avaient une vague parenté dans la région de Boston. Comment se faisait-il qu'il n'y avait jamais pensé auparavant? Voilà donc que ses plus funestes soupçons étaient confirmés. Cecilia Thompson devait avoir une quelconque affinité avec les quatre dames de Salem dont on parle encore aujourd'hui. Les anglaises aux dents longues cachent toutes une sorcière en puissance.

Il rendit mentalement les armes. Il ne sert à rien d'essayer de se battre contre des maléfices. On ne peut qu'empirer son sort. Les sortilèges ont toujours le dernier mot!

À ce jour, dix ans après ce malencontreux accident, Jerry Thompson demeure une énigme pour les médecins du centre de soins prolongés qui l'a recueilli. Bien que son électro-encéphalogramme indique une activité certaine, constante et bien reproduite sur le diagramme, Jerry Thompson est plongé en permanence dans une profonde léthargie.

Et il n'a toujours pas rouvert les yeux.

Lucienne B.

Mademoiselle Lucienne B. avait toujours vécu seule. Seule dans un appartement, toujours le même, depuis le matin de ses vingt-deux ans. Avec le temps, la mémoire étant ce qu'elle est, à savoir une faculté qui oublie, et avec l'âge qui fait en sorte que cette faculté qui oublie devient de surcroît sélective, mademoiselle Lucienne en était venue à considérer qu'elle avait commencé sa vie à vingt-deux ans. Elle avait balayé le reste de ses souvenirs sous le tapis et à cet égard, mademoiselle Lucienne avait choisi de ne jamais faire le ménage. L'entretien de son cinq et demi lui suffisait largement.

Donc, Lucienne B. – comme on l'appelait dans le quartier pour la différencier de Lucienne G., une ancienne compagne de travail, aujourd'hui décédée et qui avait longtemps habité à quelques pâtés de maisons de chez elle, avait toujours vécu seule et n'avait ni famille ni amis. Du moins, c'est ce que l'on se plaisait à imaginer. Elle était arrivée dans le quartier un bon matin d'avril avec trois valises, cinq caisses et quelques meubles. Elle n'en était jamais repartie. On ne savait ni d'où elle venait ni si elle comptait y retourner un jour. Dans les premiers temps, vu le maigre bagage qu'elle avait apporté avec elle, on s'attendait à ce qu'elle repartît. Puis on avait fini par ne plus y penser. On ne se souvenait pas d'avoir vu qui que ce fût frapper à sa porte, hormis les garçons de course qui faisaient les livraisons, car Lucienne B. n'avait jamais eu d'automobile non plus. Chaque matin de la semaine, elle prenait l'autobus sur le coup de huit heures et n'en débarquait que le soir à dix-sept heures quinze. Le samedi, on pouvait voir ses draps blancs suspendus dans la cour. Le dimanche, après la messe, c'était au tour de ses chemisiers d'étaler leur blancheur au-dessus de la ruelle. Invariablement, hiver comme été, Lucienne G. portait un tailleur gris austère, avec ou sans redingote noire, selon les caprices de l'air. Elle réservait le pantalon, toujours gris évidemment, pour les fins de semaine. Seule concession à l'élégance : un foulard noué en cravate dont la couleur semblait varier avec la température. Rien de plus. Ni maquillage, ni bijou, ni escarpins, Lucienne B. ne chaussant que des souliers de marche confortables ou des bottillons fourrés qu'elle usait jusqu'à la corde. Elle faisait couper ses cheveux au carré, relativement courts, deux fois l'an, au printemps et en automne. Cela facilitait leur entretien et ne grevait pas son budget. Elle vivait donc chichement, l'épicier pourrait vous le confirmer, ne fumait pas, ne mettait jamais les pieds à la Société des alcools, ne souriait que rarement. Et encore fallait-il se faire violence pour concéder à ce léger rictus l'ombre d'un sourire.

Toute sa vie sociale et culturelle tenait à quelques livres et à la télévision. Cette invention avait transformé sa vie, elle qui n'avait jamais mis les pieds dans un théâtre faute de moyens financiers.

Une vieille fille enragée, pouvait-on parfois entendre dans son dos.

Revêche, renfrognée, grincheuse, acariâtre, hargneuse, chipie… À son insu, Lucienne B. avait fait évoluer la situation du français dans son quartier à travers les innombrables synonymes qui lui étaient attribués.

En réalité, Lucienne B. était ce qu'on pourrait appeler une femme organisée. Depuis plus de cinquante ans, ses allées et venues étaient réglées comme du papier à musique. À chaque jour ses priorités, à chaque heure ses occupations. Jamais une entorse à la routine, les imprévus étant des équations difficiles à résoudre. Lucienne B. avait fait de sa vie un dicton : une place pour chaque chose et chaque chose à sa place. Dans le temps comme dans sa cuisine, dans les tiroirs comme dans ses pensées.

Elle n'était pas bibliothécaire pour rien.

La vue des rayons bien droits, des livres classés par ordre alphabétique et par catégorie était à ses yeux le plus réjouissant des spectacles. Aussi, bien qu'elle eût largement dépassé l'âge de la retraite, Lucienne B. avait obtenu une dérogation et continuait à travailler. Avec son maigre revenu, on avait aisément compris qu'elle n'avait pu faire de réelles économies en vue du troisième âge. On avait eu pitié d'elle. D'autant plus qu'elle était très efficace !

Quand il lui arrivait de rêver – oh ! bien rarement ! – elle faisait toujours le même songe : elle était seule dans une immense bibliothèque silencieuse où elle arpentait inlassablement les allées en replaçant les livres. Quand elle s'éveillait, ces matins-là, une incroyable sensation de bien-être persistait jusqu'au café. Mais jamais, au grand jamais, elle ne s'était octroyé le plaisir de rester sur les lieux de son travail en dehors des heures d'ouverture. D'imaginer que l'autobus de dix-sept heures était suivi d'un autre autobus à dix-sept heures trente était impensable. Et les pommes de terre, elles? Ces pommes de terre qu'elle devait mettre à cuire obligatoirement à dix-sept heures vingt pour que le souper soit prêt au moment précis où le bulletin de nouvelles télévisé commençait. Vous n'aviez pas pensé à cela, n'est-ce pas? Lucienne B., elle, s'en préoccupait invariablement dès seize heures trente, surveillant à coups d'œil rapides, comme un tic malencontreux, les aiguilles de la grande horloge noire sur le mur du fond de la bibliothèque. Parce que si les pommes de terre n'étaient pas prêtes, elle ne souperait pas à dix-huit heures. Et si elle ne soupait pas à dix-huit heures, elle ne prendrait pas son bain à dix-huit heures trente. Et si elle ne prenait pas son bain à dix-huit heures trente, elle raterait les téléromans. Alors, comment pouvait-elle avoir l'esprit libre de toutes pensées désagréables si elle ratait un épisode de ses émissions? Et si elle n'avait pas l'esprit libre, elle ne pourrait pas lire. Et si elle ne lisait pas une heure avant de s'endormir, elle ne dormirait pas. Et si elle ne dormait pas, elle ne pouvait être efficace au travail. C'était l'évidence même! Et Lucienne B. avait toujours été une femme de devoir. C'est pourquoi, tous les jours à partir de seize heures trente, le tic nerveux de Lucienne B. s'enclenchait automatiquement. Une fiche, un coup d'œil. Une autre fiche, un autre coup d'œil.

Elle gardait le rangement de ses fiches pour la fin de l'après-midi afin d'avoir commodément l'horloge à l'œil. Elle avait la permission de quitter à seize heures cinquante pour ne pas rater l'autobus.

« Une vraie folle! », pouvait-on parfois entendre dans son dos.

Dingue, piquée, sonnée, détraquée, maniaque, fêlée… À la bibliothèque municipale, également, Lucienne B. avait fait évoluer la situation de la langue française.

Et si ses journées étaient prévisibles comme la certitude qu'il y aura un matin demain, ses semaines et ses mois l'étaient tout autant. Du lundi au vendredi, c'était lever, déjeuner, café, autobus, boulot, horloge, autobus, pommes de terre, bain, télé et lecture. On le sait déjà. Les samedis et dimanches, quant à eux, étaient réservés aux grands dérangements inévitables mais tout de même prévisibles. La variété des émissions télévisées était le sel de sa vie et elles étaient suffisamment hétérogènes pour colorer la plus soporifique des routines. Des belles histoires des pays d'en haut à *La Famille Plouffe*, de *Moi et l'autre* à *Septième Nord*, de *Rue des Pignons* à *Omertà*, elle avait tout vu! Et si elle réservait ses fins de semaine pour écorcher ses habitudes, c'était justement parce qu'il n'y avait rien d'intéressant à la télé, ou si peu. Quand on vit sur une maigre pitance, on prend son divertissement où on le peut!

Elle commençait donc ses samedis par un lever un tantinet paresseux: huit heures plutôt que sept. C'était alors la grande forme pour attaquer les corvées. Lucienne B. arrachait vivement les draps de son lit pour les mettre à laver et, pendant qu'ils séchaient au grand air, elle faisait l'épicerie. Toujours la même commande, chez Richelieu, au coin de la rue : pommes de terre (évidemment!), jambon pour le samedi (c'était vite fait!), poisson pour le dimanche (aiglefin, je vous prie!), saucisses pour le lundi (pur bœuf de préférence!), côtelettes pour le mardi (sans gras s'il vous plaît!)… des carottes pour agrémenter le tout, un sac de pommes rouges et une brique de fromage cheddar pour les dîners, un peu de café en grains (il était moins cher!), une pinte de lait pour ledit café et de la confiture de fraises pour les rôties du matin. Oh oui! Un pain de blé entier, il ne faudrait pas l'oublier! Le tout livré dans l'heure, par le même garçon, de grâce! C'était un véritable gâchis dans son horaire, un vrai gaspillage de temps que d'expliquer à quelque jeune nouveau qu'il fallait enlever ses chaussures dans l'entrée, en bas de l'escalier, avant de sonner à la porte de Lucienne B. Parce que l'escalier n'était lavé qu'une fois par mois, le troisième samedi, après l'entretien du plancher de la cuisine.

Si tout allait pour le mieux, et Lucienne B. s'organisait toujours pour que ce fût pour le mieux, à midi tapant, au moment où les cloches de l'église se mettaient à carillonner, elle refaisait son lit. Midi quinze, frugale collation, puis elle abordait les autres corvées. Quatre pièces à dépoussiérer, astiquer, balayer et polir, une par semaine, elle faisait le tour de l'appartement douze fois par année. Salon; chambre numéro un, la sienne; cuisine; chambre numéro deux, baptisée bibliothèque. Et pour arriver à contrer l'inhabituel, c'est-à-dire des mois qui auraient régulièrement cinq semaines, la chambre numéro trois restait fermée à clé, justement pour éviter la poussière, donc pas besoin de ménage sauf ces deux samedis de l'année qui étaient de trop, étant par exception les cinquièmes du mois. Ils servaient donc à cet usage. La salle de bain bénéficiant d'un traitement de faveur, elle avait toujours fait partie de la routine journalière après le bain du soir.

Depuis plus de cinquante ans, Lucienne B. et son logis étaient propres et impeccables.

Finalement, le samedi soir était réservé à La Soirée du hockey, l'accumulation des points au cours de la saison étant une perspective suffisamment logique pour que Lucienne B. s'y intéressât.

Ensuite, dans l'ordre chronologique des choses, c'était au tour du dimanche d'entrer dans le moulin à viande des habitudes rigoureuses de Lucienne B. Lever à sept heures pour ne pas s'encroûter dans la facilité et bien se préparer à la routine de la semaine qui commencerait dès le lendemain. Puis c'était la messe dominicale, à jeun, pénitence sélectionnée après mûre réflexion afin de pallier la dîme qu'elle n'avait pas les moyens de payer. Elle déjeunait donc après l'office, tandis que les sept chemisiers blancs de la semaine séchaient dehors, le huitième et dernier étant sur le dos de Lucienne B. Puis elle repassait les chemisiers sur le coup de midi, puisqu'elle n'avait pas besoin de dîner, elle pressait la jupe et le veston, elle choisissait les deux foulards de la semaine : un pour les journées ensoleillées qu'elle espérait et l'autre au cas où...

Puis c'était l'ultime plaisir de la semaine. L'heure des grandes folies avait sonné ! À chaque semaine sa folie désignée, quatre par mois, entre quatorze et dix-sept heures, pommes de terre obligent...

En premier lieu, le premier dimanche du mois, Lucienne B. furetait dans les librairies d'occasion, cela va de soi quand on est bibliothécaire. La seule dépense superflue qu'on s'autorisât. On n'était pas bibliothécaire sans raison, et la deuxième chambre n'était pas baptisée bibliothèque indûment. On choisissait invariablement deux livres, des romans de préférence, et les lisait chaque soir avant de s'endormir, en plus de toute la soirée du dimanche, car on détestait les Beaux Dimanches. Cette émission n'ayant aucune prolongation possible, elle était donc sans intérêt.

Alors venait logiquement le deuxième dimanche du mois. C'était celui des marchés aux puces et des brocanteurs, car même pauvre, il faut parfois remplacer certains articles défectueux. Souvent (quelle aubaine quand l'occasion arrivait à propos!), elle dégotait quelque paire de chaussures, ma foi, pas trop mal en point. Sinon, il arrivait qu'elle permît une entorse aux principes, l'économie étant une vertu qui se cultive à long terme, et elle prenait les bottines sans en avoir besoin dans l'immédiat pour les garder en réserve. Si l'état des chemisiers, jupe ou autres le justifiait, elle faisait alors un détour vers les étalages de vêtements d'occasion ou à bas prix. Elle s'autorisait un budget de vingt dollars par semaine et si elle ne trouvait rien qui vaille, que des broutilles sans valeur, elle ne succombait jamais à la tentation d'une babiole juste pour le plaisir. Non. Elle conservait plutôt précieusement le pécule, le mettant de côté dans une boîte de café vide pour contrer les durs coups du destin. Personne n'est à l'abri des revers! À preuve, ce noir dimanche où elle avait dû se résigner, après d'épiques négociations il va sans dire, il y a de cela quelques années, à débourser plus de cinquante dollars pour un téléviseur! En couleurs, vous me direz, mais tout de même! Cinquante dollars, c'était toute une somme à dépenser d'un seul coup. Elle avait longuement hésité, Lucienne B. Mais la perspective d'un docteur Constantin continuant de vivre sans elle l'avait finalement convaincue. Elle s'était alors félicitée de cette prévoyance à long terme dont elle avait scrupuleusement fait preuve, se disant, à juste titre, qu'il fallait bien que les économies servissent un jour. L'occasion se présentait donc. À ses yeux, l'achat d'un téléviseur était sans nul doute l'unique priorité pour laquelle elle se serait privée de nourriture, le cas échéant. Mais Lucienne B. étant une femme de tête et de principes, Dieu merci, elle n'avait pas eu à recourir à des mesures aussi draconiennes, et son esprit n'avait pas eu à se débattre avec une imagination déficiente. Dès le lendemain, elle savait ce qui arrivait au docteur Constantin de Quatre et demi et pouvait ainsi s'abandonner au sommeil du juste après avoir lu quelques pages de Marguerite Duras. Le lendemain, son travail ne souffrirait d'aucun fâcheux laisser-aller.

In extremis, l'ordre établi avait été respecté une fois de plus.

Arrivait ensuite le troisième dimanche du mois. Assurément, le moins attrayant. Et si Lucienne B. avait décidé de l'inclure dans la liste de ses folies, c'était un peu à son corps défendant. Mais le coût de la vie étant ce qu'il est, c'est-à-dire en croissance effrénée et, semblerait-il, incontrôlable, ce dimanche, tout aussi désagréable qu'il pût être, méritait bien, lui aussi, l'épithète de folie. C'était le dimanche du traitement de la correspondance accumulée sur le guéridon de l'entrée. Le six du mois courant était arrivé le compte de téléphone, le dix celui de l'électricité (Dieu merci, il n'arrivait qu'aux deux mois, celui-là!) et le quinze, celui du gaz. Le troisième dimanche s'avérait donc le meilleur choix pour payer les comptes sans avoir de pénalité, les intérêts étant, comme on s'en doute, la pire des alternatives pour quelqu'un voué malgré lui aux restrictions budgétaires. À cela s'ajoutait le prix du loyer, en hausse chaque année bien sûr, comme tout le reste. Les dépliants de publicité avaient, quant à eux, pris le chemin du balcon arrière depuis belle lurette, sans même être consultés. Elle évitait, à juste raison, toute forme de tentation nocive. Dieu merci, il existait encore en ce bas monde des gens qui avaient un sens pratique tout aussi valable que celui de l'honneur. Ils avaient le sens de l'économie. Depuis l'instauration de la récupération, Lucienne B. était ainsi une farouche adepte des bacs bleu et vert. Ce troisième dimanche du mois, donc, Lucienne B. apposait sa signature sur quatre chèques de sa petite écriture serrée, les mettait sous enveloppe pour les poster le lendemain durant l'heure de son dîner. Immanquablement, ce soir-là, elle se couchait épuisée.

Ainsi donc allait la vie de Lucienne B. observée depuis plus de cinquante ans à travers les lamelles du store de sa voisine de palier, Émérentienne Bouchard, joviale personne qui avait fait de sa vie un courrier du cœur pour toutes les âmes en peine du quartier. Émérentienne était reconnue pour son accueil inconditionnel, sa soupe aux légumes inépuisable et sa langue bien pendue. Veuve de son état depuis la guerre, elle n'avait jamais songé à se remarier et n'avait jamais eu besoin de travailler, la pension de l'armée ajoutée aujourd'hui à celle de la vieillesse suffisant largement à ses besoins. Les deux femmes ne s'étaient pour ainsi dire jamais parlé, les politesses n'ayant jamais débordé les limites de leur balcon commun. Le «Comment allez-vous?» de l'une croisait le «Très bien, merci» de l'autre avant de se casser le nez à une porte qui venait de se refermer.

«Maudit air bête» entendait-on alors murmurer dans son dos.

Puis Émérentienne se hâtait de reprendre son poste d'observation.

Vie on ne peut plus monotone, me direz-vous. De part et d'autre, n'est-ce pas ? D'un côté, une maniaque de l'ordre qui passait à côté de la vie sans y prendre plaisir et de l'autre, son antipode qui perdait son temps à espionner une vie prévue d'avance.

Sauf que...

Énigmatique, mystérieux, bizarre, curieux, intriguant... murmurait-on dans le dos de Lucienne B. Jusque dans son immeuble, Lucienne B. poursuivait sa croisade insoupçonnée et la langue française allait bon train, ne cessant de progresser à travers le vocabulaire, au demeurant coloré, d'Émérentienne Bouchard qui, accoudée au rebord de sa fenêtre, réfléchissait profondément.

Parce que demain, ce serait le quatrième dimanche du mois.

Le seul jour du mois qu'elle n'avait pas encore réussi à démystifier...

Parce que ce dimanche-là, Lucienne B. ne sortait pas, et il n'y avait que les chemisiers suspendus au-dessus de la ruelle qui entraient dans la normalité des choses. Pas de messe, pas de courses chez les brocanteurs ou les libraires. Non. Il n'y avait qu'un silence suspect entrecoupé de rires qui filtrait de l'appartement de Lucienne B. Un silence macabre et un rire qui lui donnait des frissons dans le dos...

Mais nous, nous le savons, n'est-ce pas ? Les dimanches sont réservés aux folies. Aux grandes folies. Avec une femme telle Lucienne B., le quatrième dimanche du mois ne pouvait y échapper. Et entre tous, c'était celui que Lucienne B. préférait. Elle lui accordait même une attention toute particulière et acceptait, un brin indulgente, d'écorcher sa sacro-sainte routine afin de s'y préparer.

Le rituel commençait dès le quatrième vendredi du mois, après le frugal repas du midi, pomme et fromage, avalé à la sauvette. Car ce jour-là, à l'insu des gens du quartier, Lucienne B. ne travaillait pas en après-midi. Et si on s'était donné la peine de bien observer (mais que voulez-vous, une tête d'oiseau comme Émérentienne Bouchard ne pouvait apprécier d'aussi dérisoires détails!), on aurait sûrement remarqué que le sac de toile noire contenant le repas de Lucienne B. avait une curieuse enflure. Il n'avait pas la forme du sac de toile noire de tous les jours. Et on aurait aussi hautement considéré le fait que, beau temps, mauvais temps, chaleur ou non, Lucienne B. portait toujours sa redingote ce jour-là. À tout le moins, on se serait posé des questions. Mais non! À ce jour, personne n'avait porté attention à de si infimes changements, pas plus Émérentienne Bouchard que les autres.

Pourtant...

Ce vendredi-là, donc, Lucienne B. avalait son repas en vitesse puis quittait son travail sur l'habituel «À lundi!» avant de s'installer à l'arrêt de l'autobus menant au centre-ville. Jusque-là, pas de surprise, puisqu'elle observait la même routine depuis cinquante ans!

C'est chez La Baie centre-ville que la vie de Lucienne B. prenait tout son sens. Plus précisément, dans la salle de toilettes des dames, au troisième étage. Une femme un peu quelconque y entrait mais n'en ressortait jamais. Tout comme, trois heures plus tard, une femme avenante et bien mise y entrait et n'en ressortait jamais elle non plus.

C'était le lieu des métamorphoses.

Lucienne B. s'enfermait dans une cabine de toilettes, sortait une robe colorée de son sac, l'enfilait avec de jolis souliers à talons hauts, soulignait ses lèvres d'un trait de rouge et faisait bouffer sa courte chevelure qu'autrement, elle portait à la garçonne. Puis elle pliait soigneusement son tailleur gris et son chemisier blanc, les plaçait dans son sac avec ses souliers de marche et, selon le temps, elle remettait sa redingote en la laissant entrouverte ou la portait élégamment repliée sur son bras. Elle poussait même le raffinement jusqu'à porter un chapeau à larges bords, les jours d'été ensoleillés. Ainsi vêtue, Lucienne B. avait fière allure. On aurait même pu dire qu'elle était séduisante lorsqu'elle était plus jeune. Dans sa robe rose ou verte, une mèche de cheveux retombant coquinement sur son front, grandie de quelques centimètres par les escarpins, Lucienne B. avait un port de tête altier et une démarche pleine de grâce. Avec ses cheveux gris, aujourd'hui, c'est l'expression «reine mère» qui pourrait vous monter à l'esprit si par hasard vous veniez à la rencontrer.

Elle ressortait toujours de chez La Baie par la porte donnant sur Ste-Catherine, tournait à sa droite pour s'engouffrer dans un autre immeuble à quelques pas de là.

Le quatrième vendredi du mois, Lucienne B. avait rendez-vous avec son conseiller financier. Depuis cinquante ans, sans exception, le quatrième vendredi du mois, elle déposait ses chèques de paye à la Banque Laurentienne et voyait à ses affaires. Les autres vendredis du mois, comme elle ne travaillait pas, elle restait à la bibliothèque et lisait jusqu'à seize heures quarante-huit.

Invariablement, l'élégante Lucienne B. restait trente minutes à la banque puis elle se rendait chez Birks, y restait vingt minutes, pour ensuite entrer à la Société des alcools avant de revenir chez La Baie. Là, elle se rendait directement au restaurant du septième étage, se commandait une pâtisserie et un café. Le fait de manger permettait d'effacer les dernières traces de rouge à lèvres qu'elle avait déjà commencé à grignoter, faute d'habitude.

Ensuite, l'élégante dame passait à la salle de bain et n'en ressortait que... le mois suivant. La bibliothécaire effacée et terne avait repris le contrôle des apparences. Elle revenait alors vers le métro et à seize heures cinquante-trois précisément, elle attendait l'autobus devant la bibliothèque municipale, comme tous les autres jours.

Le rituel préparatoire au quatrième dimanche du mois se poursuivait le lendemain à l'heure de l'épicerie alors que Lucienne B. commandait un filet mignon plutôt que l'aiglefin traditionnel du dimanche soir. Parce que le lendemain, ce serait le quatrième dimanche du mois et qu'il méritait bien un traitement de faveur. Si le boucher avait été un tant soit peu vigilant, il aurait compris lui aussi qu'il se passait quelque chose d'inusité dans la vie de Lucienne B., tout comme Émérentienne Bouchard s'entêtait à le chuchoter à qui voulait bien l'entendre. Mais pris comme il l'était entre trois livres de baloné et deux de bœuf haché, le pauvre homme n'avait jamais rien remarqué ! Et Émérentienne Bouchard, elle, passait pour une toquée !

Et ce n'était pas tout. Le quatrième samedi du mois, Lucienne B. se couchait sans lire. C'était le soir de l'hédonisme, de la débandade de l'esprit, de l'imagination débridée qu'elle gardait aussi en réserve pour ce soir-là, l'économie étant une vertu farouchement cultivée.

Le quatrième samedi du mois, scrupuleusement, avant de s'endormir, Lucienne B. parachevait le rituel préparatoire.

Venait enfin ce fameux dilemme dominical qui causait tant de soucis à Émérentienne Bouchard, voire de mensuels maux de tête.

Lucienne B. se levait sur le coup de sept heures et, dans la demi-heure suivante, on pouvait entendre la lessiveuse qui était mise en marche. Jusque-là, pas de surprises, elle s'y attendait. C'était le signal qu'Émérentienne Bouchard attendait pour se lever. Puis les chemisiers prenaient leur tour de garde au-dessus de la ruelle, témoignant d'un certain respect du rationalisme obsédant qui régnait dans l'appartement voisin. Jusqu'à maintenant, rien d'inquiétant, Émérentienne Bouchard en profitait pour quitter son poste d'observation, se faire un café et voir à ses affaires personnelles. Hormis le fait que Lucienne B. n'allait pas à la messe, rien de spécial n'était à signaler.

La plainte grinçante de la poulie de la corde à linge ramenait Émérentienne Bouchard à sa chaise de guet sur-le-champ et, d'un index curieux, elle écartait discrètement deux lamelles du store de la cuisine, pièce judicieusement située et donnant sur les fenêtres des chambres de Lucienne B.

Puis, prenant son mal en patience, à savoir son avidité de connaître dévorante, Émérentienne Bouchard attendait.

Parfois une heure, parfois un peu moins, parfois un peu plus. Ce qui était en soi, avouons-le, un début d'étrangeté de la part de Lucienne B.

Pendant ce temps, à des lieux de toutes ces considérations

curieuses, Lucienne B. poursuivait son dimanche. Après avoir repassé chemisiers, jupe et veston, après avoir soigneusement choisi les deux foulards de la semaine, Lucienne B. troquait le pantalon pour une de ses jolies robes.

Le quatrième dimanche du mois étant celui des grandes réjouissances, le port d'une tenue adéquate s'imposait. Et de là venait ce délai incongru qui causait tant d'interrogations chez sa voisine de palier.

Car dans le deuxième garde-robe de la chambre de Lucienne B., une quantité impressionnante de jolies robes de toutes les couleurs attendaient patiemment le quatrième dimanche du mois. Depuis cinquante ans, uniquement bien sûr lorsque les placements de l'année avaient été fructueux, Lucienne B. choisissait une robe neuve, de facture classique, chez La Baie, dans les soldes après Noël, ainsi qu'une paire d'escarpins assortis. Elle avait tout gardé, la mode étant, comme on le sait, une notion renouvelable tous les vingt ans. De là cette hésitation, le quatrième dimanche du mois, le choix étant pour ainsi dire infini. Et pour éviter cette épineuse question une seconde fois dans le mois, Lucienne B. avait adroitement réglé le sort du quatrième vendredi : invariablement, elle portait la même tenue que le quatrième dimanche du mois précédent.

Ensuite, Lucienne B. se faisait jolie, rouge à lèvres et escarpins. Puis, à gestes déférents, elle ouvrait le coffret en bois de rose sur son bureau, qui attendait lui aussi ce fameux dimanche. Elle y prenait une clé, celle de la troisième chambre.

Ensuite, à gestes lents, elle glissait la clé dans la serrure, prenait chaque fois une profonde inspiration et entrait dans la chambre sur le bout des pieds, avec respect. On n'entre pas dans un sanctuaire comme on entre à l'épicerie.

C'est alors que le sang d'Émérentienne Bouchard se glaçait dans ses veines.

Parce que, de l'appartement de Lucienne B., à tous les quatrièmes dimanches du mois, entre treize et quatorze heures, fusait un premier rire. Un rire à vous donner des frissons.

Puis c'était le silence. Parfois bref, parfois long, parfois durant des heures. Suffisamment prolongé, cependant, pour déclencher une migraine de tous les diables chez Émérentienne Bouchard. L'attente était insupportable.

Ce qu'elle ne savait pas, Émérentienne Bouchard, et qu'elle aurait tant voulu savoir, c'était que l'attente variait selon les calculs de Lucienne B. Papiers bancaires en main, dernier relevé devant les yeux, Lucienne B. calculait son avoir. Placements, investissements, économies, traites, talons, tout était scruté à la loupe. Habile acrobate des mots, la bibliothécaire convertissait instinctivement les lettres en chiffres et jonglait avec eux avec une égale dextérité. Additions, soustractions et retenues se conjuguaient au passé, présent et futur avec intérêts composés. Elle métamorphosait l'accord des participes passés en équation algébrique qu'elle effectuait avec une heureuse facilité d'exécution.

Une fois ses opérations mathématiques complétées, elle rangeait ses papiers dans un ordre tout à fait personnel avant de revenir à sa chambre pour soutirer de dessous son lit son sac de toile noire qu'elle pressait alors amoureusement contre son sein. Ensuite elle revenait à la troisième chambre… et s'asseyait à même le sol devant un coffre de belle dimension qu'un œil étranger n'aurait pu distinguer sous l'amoncellement de couvertures qui l'encombrait.

Lucienne B. le dégageait, l'ouvrait avant d'éclater de rire de nouveau. «Gloire à Dieu pour Sa grande générosité!»

À deux mains, elle plongeait jusqu'au coude dans le coffre. Elle palpait, soupesait, embrassait pièces d'or et bijoux avant d'y ajouter à gestes sensuels l'achat effectué chez Birks le vendredi précédent. Boucles d'oreilles, colliers, bracelets, bagues. Or, argent, pierres fines. Monnaies de collection, pièces rares, pièces anciennes. Y toucher était une jouissance, les évaluer une volupté, les entendre résonner une luxure.

Le quatrième dimanche du mois était celui des grandes dévotions, de la gratitude envers le Seigneur qui la comblait de Ses bienfaits.

Puis elle se parait, pavanait, changeait de parure, s'admirait dans le grand miroir suspendu expressément à cette fin, uniquement pour rendre grâce à son dieu.

Pauvre, Lucienne B.? Allons donc… C'est pourquoi elle riait, Lucienne B. «Je vous ai bien eus, hein?»

Et le rire fusait, gonflait, venu de la gorge habituellement serrée de Lucienne B.

La toquée, la grincheuse, la folle avait mystifié le quartier en entier!

«Je vous ai tous eus!»

Et de rire encore et encore.

Aujourd'hui, la pauvre bibliothécaire fête son premier million! C'est le plus difficile à gagner, dit-on. À soixante-douze ans, elle peut s'attendre à toucher au second…

Elle ouvre la bouteille achetée à la Société des alcools de

la rue Ste-Catherine et elle boit à même le goulot à la gloire de ce Dieu si clément!

Et son rire guttural suit l'évolution de son esprit. Il enfle, diminue, reprend, gonfle, se modifie au rythme de la bouteille qui se vide...

Pendant que, soudée à sa chaise, la tête douloureuse et sa curiosité inassouvie, Émérentienne Bouchard écoute le rire.

Un rire démentiel, démoniaque, inhumain, diabolique... Messe noire, satanisme, machination, maléfice...

La langue de Molière, doublée d'une imagination galopante, s'en donne une fois de plus à cœur joie dans l'appartement jouxtant celui de Lucienne B.

Mais uniquement une fois par mois, toujours le quatrième dimanche, entre treize et dix-sept heures quinze, patates et filet mignon obligent...

Grand-maman Yolande

Tous les dimanches matin, après la grand-messe, grand-maman Yolande faisait du sucre à la crème.

Au cas où…

Quand la bonne odeur du sucre caramélisé emplissait l'appartement, monsieur Onésime, son mari, se pointait à la cuisine et léchait la cuillère avec circonspection et compétence, les yeux mi-clos, avant de déclarer immuablement, avec tout le sérieux requis par l'importance de sa tâche :

— Le meilleur que tu aies fait, maman. Sans contredit.

Puis il faisait claquer sa langue avec satisfaction.

Rassurée, grand-maman Yolande esquissait un petit sourire. Ensuite elle versait la préparation tiède et dorée dans un grand plat carré, toujours le même, et le plaçait sur le comptoir pour qu'il refroidît pendant qu'ils mangeaient la soupe aux légumes du dimanche, brocoli et chou-fleur ajoutés aux carottes, navet et oignons de la semaine, avec des petits pains chauds au lait. Après, de son étroit couteau pointu, grand-maman Yolande coupait le sucre à la crème en portions bien égales avant de les déposer dans le plat à bonbons de cristal, héritage maternel, le seul qu'elle eût reçu au cours de sa vie. Puis elle recouvrait les carrés fondants d'un napperon de dentelle et déposait le tout avec précaution au beau milieu de la table.

En attendant la visite...

Ensuite, ils lavaient la vaisselle, grand-maman Yolande et son Onésime de mari, hanche contre hanche, tout en faisant l'inventaire du quartier aperçu par la fenêtre au-dessus de l'évier et précédemment croisé à la messe de dix heures.

— Madame Godbout a beaucoup vieilli depuis sa vilaine grippe, tu ne trouves pas?

— Et monsieur Picard traîne de la patte depuis son embolie de l'été dernier...

À treize heures trente bien précises, ils passaient au salon pour attendre les enfants. Monsieur Onésime sortait son journal et grand-maman Yolande ses aiguilles à tricoter, après avoir placé, bien entendu, sur le plateau du vieux tourne-disque, un vieil enregistrement de Garth Lombardo. Un trente-trois tours un peu déformé qui faussait lamentablement et sautait quelques notes. Mais c'était leur jeunesse! Jusqu'à seize heures, on n'entendait plus que le cliquetis des aiguilles et le froissement des pages. Avec, en sourdine, un peu de swing des années quarante, accompagné du battement de la mesure par deux pieds droits bien emmitouflés dans leurs chaussons de laine. Parfois, coquin, monsieur Onésime déposait son journal et enlevait grand-maman Yolande pour quelques pas à travers le salon.

— Tu te rappelles le samedi soir au Grand Hôtel?

Grand-maman Yolande rougissait.

— Grand fou! Veux-tu bien arrêter ça! On n'a plus vingt ans. Et puis, tu me décoiffes...

— La folie douce, c'est le sel de la vie, maman!

Depuis la naissance de Claude, il l'avait toujours appelée maman.

Puis ils reprenaient chacun leur place. Cliquètement des aiguilles, papier chiffonné et battement de la mesure.

Ils avaient eu deux enfants. Claude, le fils espéré, et deux ans plus tard, Carole, la fille tant désirée. Ils avaient vécu toute leur vie en fonction d'eux. Bonnes écoles, camps de vacances, université, beau mariage. Monsieur Onésime et sa tendre moitié n'auraient pu envisager la destinée de leurs enfants autrement. Même le logement choisi avant les noces l'avait été en prévision de leur famille. Suffisamment d'espace à l'intérieur et une cour agréable à l'extérieur. Le prix leur convenait, et il y avait un parc au bout de la rue avec balançoires et carré de sable. À aucun moment ils n'avaient songé à déménager. Pourquoi améliorer la perfection? Papa Onésime travaillait à l'usine comme contremaître, à deux pas de là, et maman Yolande tenait maison. Aujourd'hui encore, ils habitaient au même endroit, se disant que les deux chambres désertées depuis un bon moment déjà pourraient éventuellement servir aux petits-enfants... D'autant plus que le prix du loyer convenait toujours.

Et les dimanches passaient.

À seize heures, quand l'horloge égrenait lentement ses quatre coups, on entendait, discrètement avouée, la déception de deux soupirs. Ils déposaient à l'unisson aiguilles et journal.

— Un peu de sucre à la crème, Onésime? J'ai bien l'impression qu'ils ne viendront pas.

— Ils ont dû avoir un empêchement.

— C'est certain.

— Nous aussi, il nous arrivait d'avoir des empêchements.

Grand-maman Yolande faisait semblant de chercher dans sa mémoire puis elle haussait les épaules en faisant une petite grimace qui pouvait dire tout ce que l'on voulait.

— Probablement.

Et elle allait chercher les bonbons pour que son Onésime se sucrât le bec.

Puis elle rangeait son tricot dans la vieille caisse à beurre, en bois brut, que son Onésime avait peinte en bleu à la naissance de Claude pour en faire une boîte à jouets et qu'elle conservait désormais dans un coin du garde-robe de sa chambre. Une respectable réserve de pattes de laine de toutes les couleurs et de différentes grandeurs y attendait de trouver preneur. Ensuite elle regagnait la cuisine pour préparer le souper. Un repas qui se voulait élaboré. Il n'y a qu'un dimanche par semaine ! Mais de dimanche en dimanche, il n'y avait jamais de dessert à cuisiner : invariablement, ils terminaient le sucre à la crème que les petits-enfants n'avaient pas mangé...

Et les années passaient.

Et les chaussons s'empilaient. Parce qu'il n'aurait pas été convenable d'offrir de simples pattes de laine comme cadeau d'anniversaire ou de Noël. Alors grand-maman Yolande accumulait les pantoufles colorées et toutes chaudes pour le dimanche où il y aurait enfin de la visite, comme monsieur Onésime s'empiffrait de sucre à la crème le dimanche parce que le sucre à la crème, c'est le bonbon du dimanche. À Noël, on préfère les beignes et aux anniversaires, les gâteaux. Ainsi le veut la tradition. Le dimanche, ils ne sortaient pas, ils ne téléphonaient pas. Au cas où.

Le dimanche, depuis longtemps, ils attendaient les petits-enfants.

Grand-maman Yolande et son mari Onésime étaient chanceux, ils avaient cinq petits-enfants. Quatre garçons et une fille, de deux à dix ans…

Et les dimanches se suivaient. Identiques, sans la moindre exception.

— Seize heures, Onésime… Un peu de sucre à la crème? J'ai bien l'impression qu'ils ne viendront pas.

— Ils ont dû avoir un empêchement.

— C'est certain.

— Nous aussi, on avait parfois des empêchements.

Mais depuis quelques mois, grand-maman Yolande ne faisait plus semblant de réfléchir. À l'époque, tous les dimanches, sur le coup de quinze heures, Yolande et Onésime avaient sonné à la porte des grands-parents avec un Claude et une Carole endimanchés. Beau temps, mauvais temps, été comme hiver. Une semaine dans une famille et une semaine dans l'autre. Elle s'en souvenait fort bien. Autobus, tramway; parapluie, bottes ou chapeau de soleil… Mais la vie était bien différente en ce temps-là. Moins de course, moins de tracas, plus de respect. C'est ce qu'elle se disait maintenant, grand-maman Yolande, alors qu'elle se rendait à la cuisine pour chercher le plat de bonbons.

Et c'est alors qu'elle ne savait plus vraiment si elle allait avoir le courage d'espérer encore très très longtemps que le miracle se produisît!

— Ai-je bien entendu, Onésime? Il me semble qu'on a frappé à la porte.

— Tu crois?

Deux sourires incrédules se rencontrèrent au beau milieu du salon.

— Tiens, prends les bonbons, je vais ouvrir, fit-elle les mains tremblantes. Oh mon doux Jésus! Penses-tu que le rôti serait assez gros pour les garder à souper?

Et pendant que monsieur Onésime regardait le sucre à la crème avec envie – j'en prends un ou pas? –, assis sur le bout de son fauteuil, grand-maman Yolande se rendait à la porte, toute souriante, empressée, additionnant quelques patates et ajoutant deux ou trois carottes à son traditionnel rôti de bœuf.

Et peut-être un pouding chômeur, pour une fois?

Deux grands yeux couleur de nuit et une face toute noire, du noir le plus franc que grand-maman Yolande n'eût jamais vu, barbouillée de larmes, l'accueillirent sur le perron. Le sourire fut remplacé par des sourcils froncés. Et l'addition des patates par une soustraction à sa joie. Mais sous le corsage amidonné battait toujours un cœur de grand-maman. Alors elle se pencha avec sollicitude.

— Mais qu'est-ce qui se passe, mon petit?

Une main tremblante montra le pantalon déchiré sur un genou écorché puis pointa la rue d'un index rancunier.

— Je suis tombé... Ça fait mal!

Une grosse larme s'écrasa sur la veste de laine élimée tandis que grand-maman Yolande découvrait la coupable. Roues en l'air et guidon tordu, une vieille bicyclette toute rouillée gisait pitoyablement devant leur entrée.

— Pauvre trésor... Viens, entre. On va regarder ça.

Et, passant devant le salon, tout en se dirigeant vers la salle de bain, grand-maman Yolande lança de sa voix qui ne tolérait pas les récriminations:

— Ne touche pas au sucre à la crème, Onésime, je vais en avoir besoin.

Puis elle disparut dans la salle de bain avec son petit protégé.

C'est bien connu, les grands-mamans savent tout faire et connaissent tous les trucs. En un tournemain, le genou fut pansé, le visage essuyé et les mains lavées.

— Voilà ! C'est fait. Mais reste le plus important.

— Le plus important ?

— Oui... Mais c'est un secret. Est-ce que tu sais garder les secrets, toi ?

Les yeux couleur de nuit brillèrent d'un éclat d'inquiétude. Savait-il garder un secret ? Pas sûr... Par contre, il était curieux, ça c'était plus que certain. Alors...

— Euh... Oui, je pense, madame.

Juste assez d'hésitation pour être honnête. Grand-maman Yolande étouffa un sourire puis se pencha et chuchota :

— Je connais un bonbon magique.

Les sourcils du petit homme montèrent aussitôt jusqu'à la racine de ses cheveux crépus.

— Magique ?

— Oui. Il guérit les bobos et rend les enfants sages... Tu veux y goûter ?

Est-ce qu'il voulait y goûter ? De nouveau, hésitation. Le dilemme était cartésien. On parlait de magie, ici. C'était du sérieux. Mais il était toujours aussi curieux. Et puis, quelle chance, il aurait quelque chose d'inédit à raconter à la récréation demain matin. Alors il prit son courage à deux mains, se disant, à juste raison, que dans les histoires de magie, ça finit toujours bien.

— Oui, je veux y goûter... s'il vous plaît...
Maman serait contente !

— Viens, suis-moi... Mais comment t'appelles-tu ?

— Antoine, madame. Antoine Claudel.

— Enchantée, Antoine. Moi, c'est grand-maman Yolande et lui, fit-elle en entrant dans le salon, c'est grand-papa Onésime.

Antoine vida la moitié du plat de bonbons sous les regards émus et ravis d'une grand-maman Yolande et de son Onésime de mari qui prit ensuite quelques minutes pour redresser la bicyclette. Antoine ne s'arrêta qu'au bord de la nausée, mais il voulait être certain que l'écorchure au genou guérirait très vite. Il avait besoin d'une preuve irrévocable...

Puis il repartit chez lui.

— Que dirais-tu d'un pouding chômeur, Onésime ? Il ne reste plus tellement de sucre à la crème...

Sans attendre de réponse, grand-maman Yolande regagna ses fourneaux en fredonnant. Quel beau dimanche !

La semaine suivante, au retour de la grand-messe, grand-maman Yolande refit du sucre à la crème.

Au cas où...

Mais aujourd'hui, il y avait en elle tellement plus qu'un vieil espoir tout usé.

Onésime et elle mangèrent donc la soupe aux légumes du dimanche, brocoli et chou-fleur, les petits pains au lait, puis ils firent la vaisselle hanche contre hanche.

— Madame Godbout semble prendre du mieux.

— Mais pas monsieur Picard... As-tu vu ce drôle de chapeau que portait mademoiselle Marguerite ? J'ai bien l'impression que le deuil est vraiment fini, cette fois-ci.

Ils échangèrent un regard un brin moqueur.

Puis ils passèrent au salon. Garth Lombardo reprit son récital, les pieds droits, emmitouflés de laine, battirent la mesure, les aiguilles cliquetèrent et le journal se laissa froisser.

Jusqu'à quatorze heures.

— Ai-je bien entendu? Il me semble qu'on a frappé à la porte... Peux-tu baisser la musique, s'il te plaît, Onésime?

Toc, toc, toc...

— J'ai bien entendu... Je reviens.

Deux paires de grands yeux noirs, placés en diagonale, l'accueillirent sur le perron. Puis, sans préambule:

— C'est Sarah, ma petite sœur.

Et encore, pour dissiper tout malentendu possible.

— Maman sait qu'on est ici. C'est juste pour dire merci.

La rue derrière eux était lamentable. Depuis trois jours, une pluie endémique détrempait les parterres et donnait de vilains frissons. Grand-maman Yolande s'empressa de s'effacer pour les laisser entrer.

— Mais venez, mes petits. Venez. C'est bien certain, ça, que votre maman sait que vous êtes ici?

Question totalement inutile. Antoine fronça les sourcils d'exaspération et haussa les épaules d'impatience. Ah! Ces adultes!

— Sûr! Sinon Sarah ne serait pas là.

Quelle évidence! La petite Sarah ne devait pas avoir plus de quatre ans.

Grand-maman Yolande se contenta donc de sourire pendant que, consciencieusement, Antoine et Sarah enlevaient leurs bottes de caoutchouc.

— Allez rejoindre grand-papa Onésime au salon. Je reviens.

Puis elle disparut dans le couloir. Devinant la suite, Antoine salivait de plaisir par anticipation. Aussi, quelle ne fut pas sa déception quand grand-maman Yolande réapparut.

— Tenez, c'est pour vous.

Les bonbons magiques s'étaient transformés en bouts de laine colorée. Lui qui s'apprêtait à annoncer que la magie, justement, avait opéré et que son genou était déjà guéri! Ne restait plus qu'à devenir sage, maintenant. Mais pour Antoine, cela ne faisait aucun doute. Habituellement, ses bobos prenaient un temps infini à cicatriser. Alors que cette fois-ci... C'est vrai que pour une fois, il n'avait pas touché à la gale. On ne touche pas à quelque chose sous l'emprise d'un maléfice, c'est bien connu. Mais bon, ce n'était sûrement pas suffisant pour justifier le miracle. Sur son genou, il ne restait qu'une petite ligne rose à peine sensible. Et c'est pour cela qu'il avait insisté pour que Sarah l'accompagnât. Peut-être qu'elle arrêterait enfin de fouiller dans ses crayons et ses cahiers à colorier si elle mangeait des bonbons magiques. Mais voilà! Ils s'étaient transformés en pantoufles... Ce n'est pas magique, des pantoufles. Cela, Antoine le savait fort bien parce qu'il en avait chez lui. Et Sarah aussi. Et ils n'étaient pas sages du tout, Antoine et Sarah, maman ne cessait de le répéter.

Mais il était bien élevé. Il enfila donc les pattes de laine sans trop laisser voir sa déception, sinon deux grands yeux qui roulaient un brin dans l'eau, et aida Sarah à mettre les siennes. Puis le charme opéra. C'est vrai qu'elles étaient jolies, les pattes de laine de grand-maman Yolande. Toutes colorées et douces, et chaudes aussi. Rien à voir avec les chaussons bruns et beiges, tout raides avec leurs semelles de caoutchouc, qu'Antoine avait à la maison. Par contre, il doutait sérieusement des pouvoirs possibles d'une vulgaire paire de pantoufles. Et il en avait plus qu'assez que Sarah s'amusât à gâcher ses dessins. Alors, il tenta le tout pour le tout et, s'approchant de grand-maman Yolande, il tira discrètement sur la manche de son chandail.

— Est-ce que je peux te parler? chuchota-t-il alors.

Le ton était on ne peut plus solennel. Grand-maman Yolande entra aussitôt dans le jeu.

— Oh! Un secret? fit-elle sur le même ton grave, plein de respect. Bien sûr que tu peux me parler.

Puis elle haussa la voix.

— Montre donc à Sarah les images du grand cahier d'histoires, Onésime. Je suis certaine que cela va l'intéresser. Surtout celle de la Belle au bois dormant. Antoine et moi, on a à faire. Je dois vérifier son genou.

Et, à l'abri des oreilles indiscrètes, bien assis près du lavabo de la salle de bain, une jambe de pantalon relevée, Antoine expliqua la situation. Grand-maman Yolande écouta sans interrompre, approuva de la tête, replaça le pantalon, embrassa la tête crépue, se réservant cependant une précision:

— Parfois, pour les enfants sages, ça prend un peu plus de temps que pour les bobos.

— Pas grave, ça. En autant que ça finit par marcher.

— Oh! Pour marcher, c'est sûr que ça finit toujours par marcher.

Parce que les enfants finissent toujours par grandir...

Ils revinrent ensemble au salon, le plat de cristal porté respectueusement et fièrement par Antoine, la blancheur de son sourire rivalisant avec celle de la prunelle de ses yeux.

— C'est ça les bonbons que je t'ai parlé, Sarah. C'est... c'est une recette spéciale que juste grand-maman Yolande connaît. Tu vas voir comme c'est bon !

Les deux petits quittèrent la maison le ventre bien rempli ; le regard d'Antoine était porteur d'une attente toute révérencieuse. Grand-maman Yolande referma la porte sur un clin d'œil complice.

Et attendit le prochain dimanche avec une joie toute nouvelle dans le cœur.

Antoine, lui, ne perdit pas son temps en vaines espérances. On allait tester les pouvoirs magiques des bonbons ! Dès le lendemain, il plaça un dessin sur sa table de travail – le moins beau, c'est bien certain. Il ne faut quand même pas tenter le diable ! –, puis il partit pour l'école le cœur battant. Quand il revint, le dessin n'avait pas bougé d'un poil.

La preuve en était faite. Il rangea précieusement son dessin pour le montrer à ses amis, si besoin était.

Antoine ne vit pas que ses blocs parsemaient la pelouse de la cour de leurs taches colorées. Ni que ses camions avaient défait son château de sable. Il faisait si beau aujourd'hui ! Le dessin, lui, n'avait pas bougé. C'était tout ce qui comptait.

Ça marchait !

Le lendemain, à la récréation, une douzaine de gamins savaient que dans la petite maison blanche du bout de la rue vivaient une grand-maman Yolande et un grand-papa Onésime.

La plus « full cool » grand-maman que la terre eût connue parce qu'elle possédait la recette des bonbons magiques qui guérissent les bobos et rendent les enfants sages. La preuve ?

Le dessin intact qu'Antoine exhibait d'une main triomphale et le genou guéri qu'il dévoila avec emphase.

La réputation de grand-maman Yolande fit le tour du quartier à la vitesse de la foudre, s'introduisit dans les familles, se faufila dans les ruelles, traversa le parc pour atterrir sur son perron le dimanche suivant sous l'apparence d'une multitude de paires de yeux. Bruns, noisette, gris et bleus avec, placés en diagonale au beau milieu, quatre pupilles de nuit.

On venait consulter. On venait surtout pour la prescription !

Qui pour une bosse ou une coupure, qui pour un frère, une sœur ou un voisin, chacun avait son petit secret. Grand-maman Yolande leva les deux mains devant elle.

— Oh là ! Pas tous à la fois. Je n'y comprends rien. Mais pour commencer, entrez. Il fait froid dehors, la pluie s'en vient. Antoine, tu connais la maison, amène-moi tout ce beau monde au salon. Grand-papa Onésime vous attend. Moi, je reviens à l'instant.

Cette fois-ci, elle tenait la caisse de pattes de laine tout entière dans ses bras quand elle revint au salon. La distribution et l'essayage commença. On commenta, on rigola, on choisit et on échangea, puis on s'empila à qui mieux mieux dans le salon.

— Onésime, arrête-moi cette vieille musique. Elle n'est d'aucun agrément pour ces jeunes oreilles. Je vais plutôt me mettre au piano. Il me semble que je connais quelque rengaine... Mais avant...

Le « mais avant » ramena les esprits au but premier de la visite que les pattes de laine de grand-maman Yolande avaient fait momentanément oublier. Tout à coup, les regards se mirent à briller de convoitise. Et les coudes ou les genoux recommencèrent à faire mal.

Par chance, grand-maman Yolande avait fait double recette, son Onésime de mari s'étant plaint d'une baisse dans sa dose hebdomadaire de sucre. Il y en eut donc suffisamment pour tous, Onésime y compris.

On chanta en chœur, on battit des mains, on fit la ronde, on joua même à la chaise musicale et à la chasse au trésor, un bonbon de plus étant la récompense. Grand-papa Onésime n'avait pas son pareil pour savoir toutes les paroles des chansons et des tas d'idées pour s'amuser. Tant et si bien qu'ils oublièrent le temps qui passait. Un coup virulent de la sonnette ramena cependant tout le monde à l'ordre.

— Oh Seigneur! Onésime… Il commence à faire noir.

Astrid Claudel, la maman d'Antoine et de Sarah, venait aux nouvelles. En voyant la foule qui avait envahi le salon de grand-maman Yolande – elle ne savait comment l'appeler autrement, son fils jurant sur tous les saints du ciel qu'elle n'avait d'autre nom! –, elle se confondit en excuses. Décidément, son fils n'en ferait jamais d'autres!

— Voir si ça a du bon sens! Antoine, mais qu'est-ce que tu as pensé en amenant tout le monde ici? On n'abuse pas des gens de la sorte, mon garçon!

— Laissez, madame. Le plaisir est pour nous, mon mari et moi. Voyez-vous, des grands-parents, il faut que ça serve un peu.

— Mais tout de même…

— Non, je vous le dis. Et si ce n'était d'abuser à mon tour, je vous demanderais de les laisser venir aussi souvent qu'ils en auront envie. Si, si, je vous assure, insista grand-maman Yolande quand elle vit que la maman d'Antoine s'apprêtait à protester.

— Vous croyez? ajouta Astrid, visiblement sceptique.

— Puisque je vous le dis.

Ils repartirent donc sur des promesses de se revoir, les pattes de laine glissées dans les mains parce que grand-maman Yolande leur en avait fait cadeau. La caisse de bois brut peinte en bleue était vide.

— Il va falloir que je m'y remette. Nous sommes en rupture de stock, annonça grand-maman Yolande, toute souriante.

Et ce soir-là, ils finirent la soupe aux légumes du dimanche parce que grand-maman Yolande avait oublié de mettre la pièce de bœuf au four.

— Tant pis! Nous ferons du lundi un dimanche et nous mangerons le rôti demain!

Et le temps passa.

Il y eut la saison des pluies et des dimanches chantants, puis celle des applaudissements sur le bord de la patinoire. Grand-maman Yolande et son mari apprirent à connaître la nouvelle génération de parents du quartier. On échangea des recettes et des idées, ils élargirent l'horizon des commentaires pendant la vaisselle du dimanche midi. Puis revint le printemps et la saison du soccer. Maintenant, Onésime lisait son journal dès le dimanche matin, après la grand-messe de dix heures, pendant que grand-maman Yolande faisait le sucre à la crème parce que dès le repas terminé, ils étaient toujours fort occupés. Les pattes de laine, quant à elles, se tricotaient le soir en semaine.

La caisse recommençait à se remplir. Ils apprirent à profiter de Garth Lombardo un peu n'importe quand et il y eut de plus en plus souvent des pas de danse dans le salon de grand-maman Yolande et d'Onésime.

— Grand fou! Tu me décoiffes.

Puis, en rougissant:

— J'aime bien être décoiffée par toi.

La routine avait un nouveau visage.

Et demain, ce serait jour de réjouissances. C'était la kermesse pour amasser les fonds nécessaires au bon fonctionnement des activités sportives dans le quartier. Les mamans cuisinèrent donc chacune leur spécialité, les grands-mamans tricotèrent un peu de tout, les papas décorèrent le parc de lampions et de banderoles, les jeunes ratissèrent soigneusement la pelouse, les grands-papas s'occupèrent des activités pour amuser tout le monde. On placarda des invitations dans les quartiers voisins.

La caisse de bois bleue était pleine à craquer de pattes de laine à vendre, et depuis trois jours grand-maman Yolande faisait des doubles recettes de bonbons magiques que grand-papa Onésime emballait dans du joli papier de couleur.

On annonçait une journée pleine de soleil.

Après la messe, grand-maman Yolande et Onésime vérifièrent leurs colis, ajoutèrent quelques boucles de ruban et passèrent à table pour la soupe et les petits pains au lait.

— Tant pis pour la vaisselle. On la fera ce soir, on n'a pas le temps.

Onésime avait sorti la vieille voiturette de Claude, celle qui jadis avait été rouge vif et qui tirait aujourd'hui irrémédiablement sur le brun rouille, et les pattes de laine tout comme les bonbons magiques attendaient sur le perron.

Ce fut au moment où ils allaient quitter la maison que le téléphone sonna.

Vieux couple d'amoureux, ils froncèrent les sourcils en même temps, se regardèrent un instant puis haussèrent les épaules avec une harmonie réglée comme le papier à musique de Garth Lombardo.

— Qui donc peut appeler ainsi, un dimanche midi?

De nouveau, regards échangés et haussements d'épaules simultanés. Ils s'en doutaient bien. Mais...

— On nous attend, Onésime. J'ai promis à Astrid d'être là en avance. Je ne sais pas pourquoi, mais elle voulait que ce soit moi qui l'aide à préparer la table des desserts à vendre. Elle a même insisté. Alors, tant pis pour le téléphone. Si c'est important, ils n'auront qu'à rappeler.

Grand-papa Onésime approuva du menton.

— Et moi, c'est Antoine qui m'attend pour tracer les lignes de départ de la course en sac.

Ils refermèrent la porte sur un téléphone qui se faisait insistant...

Bras dessus, bras dessous, grand-maman Yolande et son Onésime de mari remontèrent l'avenue en tirant à mains jointes la voiturette de Claude, comme ils l'avaient si souvent fait par le passé. Mais aujourd'hui, en place et lieu de deux enfants turbulents, des pantoufles de toutes les couleurs et des petits paquets de bonbons magiques remplissaient la voiturette.

Ils répartissaient déjà en discutant les profits de cette vente: soccer, hockey, ringuette...

Quand ils arrivèrent au parc, une grande clameur monta

au-dessus du quartier. Réunis pour l'occasion, tous en avance sur l'heure prévue pour la kermesse, les résidants des rues avoisinantes attendaient grand-maman Yolande et grand-papa Onésime et ils se mirent à applaudir quand ils les virent arriver sous la large banderole qui portait leurs noms.

Parce qu'en plus de la kermesse, et bien au-delà de cette occasion, c'est grand-maman Yolande et son mari que l'on voulait fêter.

La plus merveilleuse grand-maman qui puisse exister parce qu'elle connaissait la recette des bonbons magiques qui guérissent les bobos et rendent les enfants sages, et le plus gentil des grands-papas parce qu'il savait par cœur toutes les chansons à répondre et inventait des tas de jeux amusants.

Vous ne me croyez pas ? Vous n'avez qu'à le demander à toutes les mamans du quartier. Elles vous le diront, elles, si c'est vrai ! Depuis un an, oh miracle !, chaque dimanche que le bon Dieu amène, elles peuvent enfin se reposer...

Maman Béatrice

La seule véritable passion de Béatrice Champagne avait été ses enfants. Les enfants. Elle en avait eu neuf et avait gardé tout ce qui se promenait en culottes courtes dans le voisinage. Augustin Champagne, son mari, homme très doux et conciliant, voire un peu mou, n'avait jamais soulevé d'objection. Maman Béatrice était la patronne dans la maison, l'éducatrice reconnue, l'organisatrice en chef, le grand manitou, au vif contentement de son mari qui, lui, se contentait d'être le pourvoyeur. Ainsi le voulaient les règles de l'époque, et cela convenait parfaitement à sa nature passive. «Va voir ta mère» était certainement la phrase qu'il avait le plus souvent prononcée. Autrement, il était plutôt taciturne.

C'est pourquoi, depuis quarante-huit ans, dans le quartier où elle habitait, on l'appelait Maman Béatrice. Bon nombre de jeunes hommes et de jeunes femmes, aujourd'hui établis dans la vie et revenant à l'occasion voir leurs parents, faisaient une halte de quelques minutes sur le perron de Maman Béatrice pour saluer celle qui avait fait figure de visionnaire, tenant, sur un coin de sa table de cuisine, la première garderie que la paroisse eût connue.

Car, voyez-vous, on était à cette époque de la grande noirceur, l'époque des contraintes qu'étaient les années de guerre. Dessins, bricolages et pique-niques dans la cour arrière de la maison de Maman Béatrice s'étaient mariés allègrement et harmonieusement à la montagne de pommes de terre à peler et aux tonnes de chaussettes à laver.

— Les enfants, disait-elle volontiers, c'est moi surtout qui les ai voulus. Il est normal que je mette l'épaule à la roue pour les élever. Comme j'en ai déjà une «trâlée» qui court autour de moi, je ne peux vraiment pas penser à faire mon effort de guerre comme les autres mamans en travaillant à l'usine. Alors je garde leurs enfants. C'est ma façon à moi de rendre service à la patrie.

La maison blanche au fond du cul-de-sac était donc devenue à la fois refuge familial, endroit de travail, lieu de détente et salle de réception quand lui venait l'envie d'un peu de vie sociale. L'horizon de Maman Béatrice ne débordait jamais ces limites, faute de temps. Elle gardait son imagination en laisse pour plus tard.

Et c'est donc pour cette raison que la chaise berçante en bois blanc, repeinte religieusement année après année depuis près de cinquante ans, était toujours en poste sur son perron et semblait, encore aujourd'hui, attendre quelque enfant à consoler.

Aux yeux de tous, Maman Béatrice restait Maman Béatrice.

Maman Béatrice avait donc vécu en fonction des enfants. Ceux qu'elle avait mis au monde à tous les dix-huit mois ou presque, et les autres, Augustin étant finalement un élément secondaire mais essentiel dans sa vie de mère. Sans lui, point d'enfants et point de maison. Mais pour le reste, Maman Béatrice s'était fort bien débrouillée toute seule...

Béatrice et son mari avaient ainsi cheminé en parallèle,

gardant chacun pour soi ses rêves et ses attentes. Ils n'avaient pas le temps d'en parler, et encore moins les moyens de les réaliser. Ils se contentaient de partager les repas et le même lit. Aux yeux de Maman Béatrice, c'était largement suffisant. À sa façon, elle aimait bien son mari Augustin. Mais jamais elle n'aurait pu dire qu'elle l'aimait tout court. La seule véritable passion qu'elle eut connue, c'était celle ressentie quand on mettait un nouveau-né dans ses bras. Là, oui, elle aurait pu dire ce que c'était que l'amour inconditionnel et sans calcul. Mais autrement...

Pourtant, elle ne regrettait aucunement la vie qu'elle avait menée aux côtés d'Augustin. Une vie sans grande passion est aussi une vie sans grands éclats, et c'était convenable comme ça. Ils partageaient les mêmes préférences alimentaires, appréciaient de façon identique les émissions de variétés, entretenaient pour l'été et leur potager une prédilection commune et n'avaient pour le sexe, l'un comme l'autre, qu'une inclination modérée. En bons chrétiens, ils faisaient leurs devoirs conjugaux et avaient ainsi donné à la patrie les enfants que l'Église prescrivait de donner. Mais dès que Béatrice avait été en famille, Augustin s'était montré plutôt réservé sur la chose, au contentement de tous les deux. Ils avaient donc passé ensemble cinquante ans d'harmonie courtoise. Là s'arrêtait la vision qu'ils avaient d'une vie à deux. Un mariage de passion étant pour l'un comme pour l'autre une notion tout à fait incongrue.

Ainsi, avec le recul des ans, Maman Béatrice pouvait dire qu'elle avait vécu heureuse aux côtés de son mari, mais le fait qu'il fût décédé récemment n'avait pas apporté de bien grands changements en ce qui la concernait. Un beau matin d'avril, Augustin était mort comme il avait vécu, en solitaire, tout en bêchant son jardin alors qu'elle se berçait sur le perron avant de leur maison. Infarctus du myocarde. On l'avait retrouvé couché dans l'allée terreuse entre le rang des petits pois et celui des tomates. Somme toute, une belle mort pour celui qui n'avait eu de passion que celle du jardinage. Bien sûr, pour Maman Béatrice, il y avait eu quelques semaines de désarroi devant un quotidien confortable brusquement bouleversé. Puis les choses avaient repris leur place, et le deuil s'était enfin résumé à une carotte de moins à peler et quelques vêtements soustraits au lavage. Ou encore à un discret soupir poussé tristement quand elle venait pour partager ses impressions devant une émission de télévision et que seuls quelques craquements de la maison lui répondaient. Mais là encore, elle avait fini par s'habituer. À soixante-quinze ans, Maman Béatrice était toujours alerte, avait le pied léger et l'esprit vif.

Et depuis quelque temps, quand elle ouvrait les yeux sur un jour nouveau, elle s'étirait de contentement : enfin seule ! D'une journée à l'autre, il n'y avait désormais que des journées à elle. Tous les rêves et les quelques envies qui avaient ponctué silencieusement sa vie avaient curieusement refait surface au décès d'Augustin et aujourd'hui, elle pouvait y consacrer tout le temps voulu. De longues heures de rêverie agrémentaient donc le cours de ses journées sans qu'elle dût y mettre un frein brutal faute de temps. Ces heures de rêverie étaient aussi délectables que le fait de satisfaire ses quelques modestes envies. Elle échafaudait voyages et soirée théâtre, rénovations et garde-robe rajeunie. Jamais elle ne s'était sentie aussi riche !

À ses yeux, l'âge d'or venait de prendre tout son sens.

Les enfants avaient tous quitté la maison très jeunes, le besoin de travailler et l'envie de vivre sans être constamment entourés précipitant leur départ. Élevés à l'école de la débrouillardise et du partage obligatoire, sans faire de longues études qu'un budget familial serré n'avait pu autoriser, ils avaient néanmoins réussi à se trouver d'honnêtes emplois. Seule Francine, bébé de la famille, avait pu accéder aux études supérieures. Malgré cela, entre l'usine, le commerce, la représentation ou le secrétariat, les plus vieux tiraient tous leur épingle du jeu et s'amusaient à se comparer quand quelque fête – et ils étaient nombreux, les prétextes à célébrer! – les réunissait autour de la table de Maman Béatrice.

Ces repas familiaux étaient d'ailleurs des moments hautement colorés où seule une oreille rompue à ce genre d'exercice pouvait s'y retrouver. Quand la proche parenté regroupe plus de trente personnes, c'est déjà en soi un spectacle particulier, plutôt bruyant, et seuls les initiés arrivent à s'y complaire. Maintenant seule, Maman Béatrice présidait la tablée qu'elle avait elle-même préparée et dans ces moments-là, elle se sentait plus importante que le plus puissant des monarques. Tous ensemble, ils avaient l'habitude de refaire le monde, et elle avait l'impression d'en être le maître absolu. La solitude nouvelle que la vie lui avait brusquement imposée se révélait finalement une véritable récréation après toutes ces années de labeur.

Jusqu'au jour où Robert, l'aîné, entreprit une croisade assidue, soutenu inconditionnellement par ses cinq frères et ses trois sœurs, sans compter les quelques petits-enfants en âge d'être consultés.

— Il faudrait peut-être penser à déménager, maman. Vous n'êtes plus très jeune.

Ils étaient assis sur le perron. Maman Béatrice se berçait mollement, par habitude, et Robert, à quelques pas, bien droit sur une chaise droite, regardait fixement devant, par habitude lui aussi. Digne fils d'Augustin, il était homme de peu de mots. La journée était très belle, la brise portant sur son aile le léger parfum du gros lilas qui courtisait le perron. Maman Béatrice avait levé un sourcil défiant au-dessus de ses beaux yeux bleus, une lueur de sagacité entrecroisant un reflet de sévérité. Ce regard, elle l'avait découvert aux premiers pas de Robert, développé aux mauvais coups de Marcel et peaufiné au fil du temps quand ses enfants faisaient une bourde majeure ou déclamaient, avec une assurance toute convaincue à défaut d'être convaincante, un mensonge aussi visible que le nez au beau milieu du visage. Il y avait maintenant fort longtemps qu'elle ne l'avait utilisé, ce regard d'autorité parentale, jugeant qu'il n'était plus nécessaire face à des petits-enfants qu'elle n'avait surtout pas besoin d'élever et qu'elle gâtait d'une façon outrageuse. En ce moment, ramenée dans le temps et retrouvant ses attitudes de mère par instinct, Maman Béatrice, pour un peu, se serait amusée. Si ce n'eût été de la gravité du propos.

— Ce qui veut dire ?

Le ton était sans réplique même s'il exigeait réponse. Allez donc vous y retrouver ! Robert s'était dandiné sur sa chaise, renouant, sous l'inspection maternelle, avec l'inconfort de certains épisodes de son enfance. Il se racla la gorge avec embarras avant de répondre.

— Tout simplement qu'il serait peut-être plus prudent de songer à ne plus vivre seule.

— Mais encore?

Robert avait poussé un soupir mental. La tâche serait encore plus ardue qu'il ne l'avait prévu. Peu enclin à verbaliser ses pensées, il était brusquement à court de mots et d'arguments. Sa mère ne voyait-elle pas la logique de sa démarche? Robert avait donc soupiré, passé un doigt impatient entre son col et son cou, soupiré de nouveau avant de décréter qu'ils en reparleraient plus tard et… de passer le flambeau à Marcel, son cadet de dix-huit mois, qui, gérant d'entreprise, était un habitué des négociations. Marcel se présenta donc sans préavis un beau midi, espérant tirer profit de l'effet de surprise. Bonne intuition: Maman Béatrice semblait heureuse de le voir. Elle était même radieuse. C'était de bon augure. Il se jeta donc frileusement à l'eau. À la soupe, il présenta timidement le projet. Nulle objection ou commentaire, elle se contenta de servir le plat principal. Marcel jugea qu'il pouvait attaquer franchement. Alors, aux patates, il argumenta avec fougue, au dessert, il cajola gentiment et au café, il expliqua encore une fois dans les moindres détails. Une démonstration menée de main de maître. Mais peine perdue, Maman Béatrice était inflexible. La réponse, cette fois non plus, ne se fit aucunement attendre. Cette maison, elle l'aimait bien, sa santé resplendissante lui permettait encore d'y voir adéquatement, son expérience d'un budget familial serré qu'elle avait administré avec les compétences d'un comptable chevronné l'aidait grandement, et personne ne l'en délogerait avant qu'elle ne l'eût elle-même décidé. Quoi qu'on en pensât, elle n'était pas gâteuse, et la maison lui convenait encore tout à fait. Point final. Et quand Maman Béatrice disait point final, les neuf enfants Champagne savaient fort bien ce que cela voulait dire. Surtout déclaré sur ce ton d'autorité agacé qu'ils savaient dangereux en cas d'insistance.

La discussion était close.

Du moins, en apparence. Car, de leur mère, les enfants Champagne avaient hérité d'un tempérament fort... Et avouons-le franchement, chacun avait, à sa façon, une raison d'espérer quelque retombée financière de cette transaction. Qui un toit à refaire, qui une véranda à rénover, qui un voyage remis depuis trop longtemps déjà...

Ils se réunirent donc de nouveau chez Robert puis chez Marcel. Ils discutèrent, dissertèrent, épiloguèrent, tergiversèrent. Puis ils arrêtèrent enfin les procédures. Ne restait logiquement que Francine à qui ils pouvaient reléguer la flamme du marathon. Pourquoi n'y avaient-ils pas pensé avant?

Francine, nous le savons, était la plus jeune, de quatre ans la cadette de Claudette, donc, par définition, le bébé gâté de la famille en général, et de Maman Béatrice en particulier. C'est à l'unanimité, finalement, qu'elle fut l'heureuse élue pour prendre la relève et tenter de mener à terme cette délicate mission diplomatique.

Ils s'attendaient à des «parlementeries» épiques. Francine était la copie carbone de Maman Béatrice et habituellement, elle arrivait toujours à ses fins. La lutte promettait donc d'être intéressante, voire passionnante.

Elle exigea d'abord d'avoir entière liberté en matière d'exécution de la stratégie et le soutien inconditionnel de tout un chacun.

Ce lui fut accordé.

En second lieu, elle ordonna que plus aucun enfant ne revînt sur le sujet devant Maman Béatrice ni même entre eux. La moindre allusion pouvait avoir des conséquences désastreuses.

Là encore, cette requête lui fut accordée malgré quelques réticences évidentes. Normalement, chez les Champagne, les questions importantes étaient débattues en groupe. Il y eut donc quelques remarques, des mises en garde, des précisions. Puis Robert trancha. Pour une fois, l'enjeu valait bien quelques entorses au protocole habituel. Ils s'en remirent donc inconditionnellement à Francine qui se donna jusqu'en septembre pour faire fléchir sa mère. L'issue de l'opération ne faisait aucun doute à ses yeux. Maman Béatrice avait visiblement un faible pour son bébé, qui avait appris de son côté comment tirer parti de diverses situations. Francine savait surtout qu'avec sa mère, la persévérance discrète était une vertu. Et les détours parfois obscurs, des panacées universelles.

La croisade commença par un bel après-midi d'été.

Maman Béatrice était à soigner son potager quand Francine se présenta. Le contexte la servait à merveille : sa mère était toujours d'excellente humeur quand elle voyait à ses légumes. Incontestablement, les petits pois avaient un pouvoir apaisant sur elle et les laitues étaient un élixir de patience chez une femme qui autrement s'était toujours plainte qu'il n'y avait pas assez d'heures dans une journée. Quand les enfants avaient eu une permission à demander ou une confession embarrassante à faire, invariablement, ils avaient attendu que leur mère fût au potager pour s'aventurer en terrain miné. L'hiver, l'entreprise s'était toujours avérée plus délicate et les permissions s'étaient faites plus rares.

Allongeant quelques pas entre les tomates et les concombres, Francine rejoignit sa mère.

— Belle journée pour le jardinage, n'est-ce pas, maman?

Maman Béatrice leva un sourcil averti, jeta un regard en coin à celle qui avait toujours parlé potager avec dédain et avala le soupir d'impatience qui lui montait aux lèvres pour le remplacer par un sourire un peu triste. Mais que faisait sa fille ici, au beau milieu d'une journée, à discuter de jardinage? Il y avait anguille sous roche! Maman Béatrice soupira. Les enfants n'avaient-ils pas encore compris qu'elle n'avait aucunement l'intention de vendre pour le moment? La guerre n'était-elle donc pas finie? Admettant que parfois on peut se montrer plus buté à quarante ans qu'à dix ans, Maman Béatrice, mine de rien, sonda le terrain un peu plus.

— Belle journée, en effet. Et le travail? Ça va toujours comme tu veux?

— Toujours.

Pour une femme de carrière évoluant dans le public, trouvant toujours prétexte à disserter sur ses relations d'affaires, la réponse était plutôt concise. Maman Béatrice se concentra sur les haricots jaunes afin de camoufler la lueur ironique qui brillait dans son regard. Elle ne s'était donc pas trompée. Francine était bel et bien ici en service commandé.

Ainsi donc ils voulaient la guerre? Eh bien, ils allaient l'avoir!

S'ils mésestimaient l'ennemi, et c'était là le principal défaut de la cuirasse, ils s'étaient fourvoyés. Une femme comme Maman Béatrice, mère de carrière, avait plus d'un tour dans son sac. Elle se mit donc à sarcler les haricots avec une énergie nouvelle, venue tout droit du plaisir qu'elle ressentait face à ce défi. Ce n'était pas une bande de marmots, fussent-ils les siens, qui allaient venir troubler la sérénité de ses vieux jours. L'idée de vendre avait peut-être du bon, Maman Béatrice l'admettait en son for intérieur, mais jamais elle ne permettrait à ses enfants de décider du moment pour le faire. Point final.

— Que me vaut le plaisir de cette visite?

— Rien en particulier. Juste jaser.

— Jaser? Bonne idée! Mais reste pas plantée là comme un coton, ça m'énerve! Viens m'aider et, si c'est ce que tu veux, on va jaser tout en travaillant. Sans ton père, je ne vois pas comment je vais y arriver cette année.

Retroussant ses manches, Francine se mit donc à sarcler aux côtés de sa mère et à s'attaquer à son tour aux haricots.

Puis la semaine suivante aux carottes.

Célibataire et sans enfants, Francine avait tout son temps. De toute façon, on n'était qu'à la fin de juillet.

Et cette visite devint une habitude.

Chaque jeudi, Francine se présentait pour jardiner, puis elle ajouta le lundi et finalement le samedi.

Trois fois par semaine, on pouvait voir les deux femmes penchées sur les rangs du potager.

Un jour de pluie, cherchant un prétexte à sa visite, Francine proposa de faire l'inventaire du grenier. Maman Béatrice accéda à sa demande, prenant grand plaisir à discuter avec sa fille, que ce fût à travers la poussière ou sous le soleil ardent de cet été particulièrement chaud.

Trop occupée à être mère à plein temps, Maman Béatrice découvrait sur le tard les délices d'avoir une amie.

Trop occupée à être étudiante et femme d'affaires à plein temps, Francine en faisait tout autant.

Elles découvraient ensemble la joie du partage des idées et

des rêves. Elles se trouvaient mille et une ressemblances et les prétextes à rire étaient nombreux.

Puis le temps des récoltes arriva sans que Francine n'eût abordé le sujet. Sans que Francine n'eût envie d'aborder le sujet.

Car plus le temps passait, plus l'idée de vendre la maison lui semblait saugrenue.

Allons donc! Qui pourrait s'occuper du potager aussi bien que Maman Béatrice? Ses réflexions tournées vers l'ébauche d'arguments pour faire fléchir sa mère s'étaient petit à petit transformées en ébauche d'explications quand viendrait le jour où elle aurait des comptes à rendre à ses frères et sœurs.

Tant pis pour les toits, vérandas et voyages, cela faisait tellement longtemps qu'ils en parlaient sans agir, ils n'avaient donc qu'à continuer d'en parler pour un moment!

Elle ne voulait surtout pas faire de la peine à cette femme merveilleuse qui était sa mère et qu'elle avait découverte entre le rang des haricots et celui des laitues. À moins que ne ce fût cachée dans le fond d'une vieille malle poussiéreuse?

Avec sa mère, Francine avait découvert l'histoire de la maison et celle de la famille. Maman Béatrice, c'était l'âme de la maison, l'âme de la famille. Lui demander de vendre la maison, c'était lui demander de mourir un peu. Francine en était maintenant convaincue.

Vint le jour où maman Béatrice convoqua tout le monde à ce qu'ils appelaient leur festin annuel: un gros bouilli de légumes concocté avec les produits de son potager. Mystérieuse, maman Béatrice leur avait dit qu'elle voulait leur parler.

Ils arrivèrent donc le dimanche au souper avec des

sourires gourmands et une lueur de convoitise au fond des yeux. Francine avait-elle réussi à faire un miracle ?

Tel qu'exigé, ils n'avaient nullement parlé du projet depuis la fin de juin. Par contre, ils espéraient les résultats.

Maman Béatrice fit durer le suspense jusqu'au dessert.

Puis elle se leva cérémonieusement comme elle le faisait chaque fois qu'elle avait quelque chose d'important à dire.

— Et voilà un autre été de passé, comme le temps file ! fit-elle, reprenant ainsi les propos de son mari Augustin lorsqu'il avait présidé cette même tablée.

C'était là son discours annuel, toujours le même, toujours aussi bref.

Autour de la table, on aurait entendu une mouche voler. Maman Béatrice observa une courte minute de silence. Finalement, Augustin lui manquait bien un peu.

— Par chance que Francine m'a aidée, je n'y serais pas arrivée toute seule, reprit alors Maman Béatrice.

Mais en même temps, on pouvait entendre le reproche alors formulé à l'égard de tous ceux qui ne l'avaient pas fait. Même si ce n'était pas là le but de la remarque. On entendit quelques toussotements, un ou deux soupirs. Mal à l'aise, Francine piqua du nez dans son assiette. Si les autres savaient…

— Et voyez-vous, sa présence m'a amenée à réfléchir, poursuivit maman Béatrice comme si elle n'avait rien vu ni entendu. Tu avais raison, Robert, en disant qu'il faudrait peut-être songer à ne plus vivre seule. Et ton argumentation, Marcel, avait du sens. J'ai beaucoup pensé, soupesé les pour et les contre, et je me rallie à votre idée. Dans le fond, les souvenirs ne sont pas gravés dans les murs comme je me plaisais à le croire mais bien dans mon cœur.

On entendait le silence qui planait au-dessus de la table. Jusqu'à l'instant où fut soupiré un:

— Enfin!

À peine un murmure, comme un soupir, mais l'oreille fine de Maman Béatrice l'avait enregistré. Enfin? La vieille dame eut l'impression de recevoir une douche glacée. Lentement, elle survola la tablée d'un œil noir, s'attarda à chacun des visages qui se levaient vers elle. Et, elle serait prête à le jurer, c'était bien un signe de dollar qu'elle voyait dans tous ces regards tournés vers elle. Son esprit ne fit qu'un tour. Quelle drôle d'idée elle avait eue de vouloir faire plaisir à cette bande d'égoïstes! Voilà ce qu'elle récoltait après toutes ces années d'amour, de soins et d'attentions de toutes sortes? Le potager était moins décevant... même par saison médiocre.

La décision de vendre la maison se retrouva aussitôt enfouie dans le fatras des mauvaises idées qu'elle avait parfois eues au cours de sa vie. Non mais... Et le respect, lui? Ça ne voulait rien dire? Ils avaient besoin d'une petite leçon.

— C'est pourquoi, après mûre réflexion, j'ai décidé de prendre un chambreur. Une chambreuse, plutôt, improvisa-t-elle aussitôt, mettant à profit cette imagination fertile développée au fil des ans pour contrer les manques à gagner sans que les enfants n'en souffrissent. À mon âge, comme vous me l'avez si délicatement souligné, il vaut mieux être prudent. Comme ça, vous pourrez dormir tranquilles, je ne serai plus seule au cas où il m'arriverait malheur...

Adieu veau, vache, cochon, couvée...

Robert échangea un regard furtif avec Marcel qui regarda Claudette qui fronça les sourcils à l'intention de Pierrette qui fit la moue à Jean qui soupira en se tournant vers Huguette qui poussa Louise du coude qui fixa Marie qui tourna la tête vers Francine occupée à contempler son assiette.

— Je ne vous remercierai jamais assez de m'avoir enfin ouvert les yeux. Votre sollicitude me fait chaud au cœur, ajouta-t-elle en reprenant sa place, décrétant par le fait même que le discours était terminé.

Curieusement, la voix de Maman Béatrice avait cette intonation doucereuse qu'elle prenait autrefois, quand ils étaient une bande d'adolescents et qu'elle se moquait d'eux.

Et tout aussi curieusement, son imbattable tarte aux pommes avait un drôle de goût acidulé, cette année.

Personne ne s'attarda indûment après le repas. On avait subitement des obligations qui ne pouvaient souffrir d'aucun délai.

Francine resta à faire la vaisselle. Tant pour éviter une confrontation sur le perron que pour aider sa mère.

Et surtout pour essayer de comprendre. Ce n'était pas sa mère que d'avoir envie d'un chambreur. Mais alors là, pas du tout.

— Tu sais, confia Maman Béatrice, les mains plongées dans l'eau savonneuse jusqu'aux coudes, je t'ai vue venir avec tes gros sabots quand tu m'as rejointe au potager, au début de l'été. Tu venais en émissaire pour me faire changer d'idée.

Francine se sentit rougir jusqu'aux oreilles.

— Et tu as bien failli réussir même si tu n'as rien dit.

La rougeur de Francine s'étendait maintenant jusqu'à la racine de ses cheveux.

— Mais je… j'avais changé d'avis, plaida l'accusée en bafouillant de se voir si facilement percée à jour.

— Cela aussi, je le sais. Au fil de l'été je t'ai vue changer. En toi, j'ai découvert une amie et une femme de cœur. C'est pour ça que tu as bien failli réussir. J'avais envie de te faire plaisir, de tous vous faire plaisir. Et en même temps, me faire plaisir. Mon bonheur, vois-tu, a toujours passé par le vôtre. Malheureusement pour les autres, il y a eu un mot de trop...

Pendant un bref instant, Maman Béatrice resta silencieuse. Un court silence de déception. Puis elle redressa les épaules.

— Oui, il y a eu un mot de trop qui m'a ouvert les yeux. Robert a raison sur un point: je ne suis plus très jeune. Surtout pas assez jeune pour m'embarrasser d'un chambreur. Tes frères et sœurs ne sont que des idiots pour être tombés aussi facilement dans le panneau.

Se tournant vers Francine, Maman Béatrice conclut:

— Il est temps de vendre cette maison. Vous avez raison. Que dirais-tu de t'occuper de la transaction? Pour vous élever, j'ai eu mon lot de soucis administratifs. Aujourd'hui, tout ça m'embête. Si tu réussis à vendre à un bon prix, il y aura une confortable commission pour toi.

— Oui, mais vous, maman? Où irez-vous?

— Moi? Il y a d'excellentes maisons pour les vieilles dames. Et ne t'inquiète surtout pas, je ne m'y ennuierai pas.

De nouveau, Maman Béatrice observa un moment de silence. Elle se revit jeune femme, arrivant dans cette maison un premier marmot dans les bras et des rêves plein le cœur. Des rêves qui n'avaient jamais débordé les limites de sa cuisine. Elle n'en avait jamais vraiment souffert. Tout ce qu'elle avait fait, c'était par amour pour les siens qu'elle l'avait fait. Les choses dont elle s'était privée, c'était aussi pour eux qu'elle l'avait fait. Mais cela, il semblait bien que personne n'en avait tenu compte. Alors, il était grand temps de penser à elle.

— Non, je ne m'y ennuierai pas, reprit-elle. Car je n'y resterai pas longtemps. Vois-tu, Francine, Robert et Marcel ont tout à fait raison : je ne suis plus très jeune.

— Maman ! Ne parlez pas comme ça. Vous avez encore de longues années devant vous !

Comprenant la méprise, maman Béatrice éclata de rire. Un rire tout joyeux, juvénile, que Francine n'avait jamais entendu.

— Mais j'y compte bien, ma fille ! Car j'ai décidé qu'il était temps que je me mette à voyager. Et comme le monde est vaste, ça va me prendre au moins quelques années pour en faire le tour !

Les jumelles Gagnon

Elles étaient nées à cinq minutes d'intervalle. Luce avait été la première, hurlant son désaccord de quitter son nid douillet. Suivie de Lucie, hurlant son désaccord d'entendre sa sœur hurler. Deux bébés hurlant leur désaccord d'être séparées. Du moins, c'est ce que maman Gagnon avait conclu, un peu décontenancée de voir deux bébés filles aussi parfaitement identiques alors qu'elle s'attendait à un gros garçon.

Comme Luce et Lucie étaient plutôt malingres, on les avait baptisées dès le lendemain, à la chapelle de l'hôpital, juste au cas où, comme le voulaient certaines habitudes de l'époque, les bracelets d'identité enroulés autour de leurs chevilles permettant de les distinguer l'une de l'autre, car l'heure de la naissance y était indiquée. On avait donc baptisé Luce en premier, bébé neuf heures trente, suivie de Lucie, bébé neuf heures trente-cinq. Droit d'aînesse oblige.

Une semaine plus tard, constatant leur santé florissante malgré une petite constitution, on les avait ramenées à la maison. Luce dans les bras de sa maman et Lucie dans ceux de son papa.

Comme le recommandaient les usages de l'époque, sans la moindre hésitation, on avait couché les deux bébés dans le même lit. Luce près de la fenêtre et Lucie à l'autre bout. Dans les années trente, tout ce qui était pourvu de diplômes préconisait le respect des ressemblances : elles avaient vécu neuf mois l'une près de l'autre, elles se ressemblaient comme deux gouttes d'eau, elles devaient donc avoir les mêmes besoins. Pas nécessaire de chercher plus loin, elles n'étaient qu'une même personne en deux copies conformes.

Gens simples, d'esprit surtout pratique et de culture plutôt restreinte, maman et papa Gagnon s'étaient ralliés à l'opinion des livres. Comment les savants pourraient-ils avoir tort, eux qui avaient longuement étudié la question ? Elles étaient si mignonnes dans leurs pyjamas identiques, rose et blanc, qu'ils devaient sûrement avoir raison. D'autant plus que les visiteurs s'exclamaient devant ce petit minois avenant, offert en double copie, et semblaient même les envier.

— Chanceux ! Toute une famille en un seul coup ! Et elles sont si jolies.

Seule grand-maman Gagnon restait sceptique.

— Mais, dites-moi, comment faites-vous, Blanche, pour les reconnaître ? avait-elle demandé à maman Gagnon, perplexe, penchée sur le berceau.

— Pour l'instant, elles ont encore leur bracelet d'hôpital. Plus tard, on verra.

Mais comme Luce était toujours la plus rapide des deux, maman Gagnon ne se faisait aucun souci à ce sujet. «De toute façon, se disait-elle, l'instinct d'une mère ne saurait se tromper.»

Et puis, Luce avait compris son rôle d'aînée dès la naissance puisqu'elle s'occupait de réveiller sa sœur lorsque venait l'heure des boires. Ses pleurs remplissaient la maison jusqu'au moment où Lucie lui répondait.

C'était déjà cela de pris.

— On dirait bien qu'elle sera le chef du tandem.

— C'est normal, elle est l'aînée.

Ainsi en avait tranché papa Gagnon, approuvé en ce sens par maman Gagnon qui ne pouvait concevoir sa famille autrement. L'aînée serait toujours l'aînée.

La preuve?

Luce fit son premier sourire un lundi. Lucie, le mardi.

Luce se retourna sur le dos toute seule un jeudi. Lucie, le vendredi.

Luce tint un hochet dans sa main un vendredi. Lucie, le samedi.

Luce et Lucie venaient d'avoir trois mois.

Non vraiment, maman Gagnon ne pourrait jamais les confondre.

On décida donc d'enlever les bracelets d'hôpital. Leur condition de jumelles faisant d'elles des bébés plutôt délicats, elles avaient pu les garder jusqu'à ce jour. De toute façon, maman Gagnon jugeait qu'ils n'étaient plus essentiels. Avec le temps, en y regardant de près, Luce et Lucie ne se ressemblaient pas tant que cela. Et même pas du tout si on tenait compte du sourire de Luce qui était un brin plus large et des pleurs de Lucie qui étaient un tantinet moins soutenus. Et, soyons concrets : Luce aimait les couleurs vives alors que Lucie était attirée par les teintes douces. Non, je vous le dis : aucune crainte à se faire.

Luce roucoula ses premières syllabes un mardi. Lucie, le mercredi.

Luce accepta une première bouchée de Pablum un dimanche. Lucie, le lundi.

Luce se mit à rire aux éclats un samedi. Lucie, le dimanche.

On ne pouvait se tromper : Luce était couchée près de la fenêtre et Lucie à l'autre bout du lit.

Luce et Lucie venaient d'avoir six mois.

Tout allait pour le mieux dans le meilleur des mondes sous le toit de papa et maman Gagnon. On s'était habitué à tout faire en double, Luce en premier, Lucie en deuxième, le droit d'aînesse gardant sa priorité, ce qui permettait un certain mode de vie apprécié de maman Gagnon qui n'était pas, avouons-le, d'une grande imagination.

Curieusement, ce matin-là, papa et maman Gagnon ne furent pas éveillés par les pleurs de leurs filles.

— Enfin, elles font leur nuit !

Tout heureuse, maman Gagnon prit même le temps de préparer le café avant de se pointer dans la chambre des jumelles.

— Bon matin, les filles ! C'est gentil d'avoir laissé papa et maman dormir un peu.

Deux sourires d'ange répondirent à son bonjour matinal. C'est alors que l'univers serein de maman Gagnon bascula d'un seul coup.

— Antoine, viens ici. Et vite !

Entendant l'urgence et l'inquiétude, papa Gagnon se précipita. Confortablement installées au beau milieu du lit, mignonnes comme tout dans leurs pyjamas rose et blanc, Luce et Lucie s'examinaient avec le plus vif intérêt et roucoulaient à qui mieux mieux.

— Tu ne crois pas que son sourire est plus large ? fit alors maman Gagnon en pointant l'un des deux bébés.

— Ouais… Peut-être…

Un peut-être lourd de conséquences!

— Et puis, elle est légèrement plus à droite, donc plus près de la fenêtre. Ce doit être Luce.

— Peut-être…

Papa Gagnon était sceptique et, dans ces cas-là, il était toujours à court de vocabulaire. D'autant plus qu'en temps normal, maman Gagnon parlait pour deux. Par contre, il eut cette brillante réflexion.

— Présente-leur le hochet en forme de clown. Tu sais comme Luce aime les couleurs vives.

— Bonne idée!

Deux menottes se tendirent avec une symétrie déconcertante. Maman Gagnon commençait à s'inquiéter.

— Mais c'est un complot!

— Attendons qu'elles se mettent à pleurer, fit alors papa Gagnon en entourant les épaules de sa tendre moitié d'un bras protecteur. Tu sais bien que Luce donne toujours le signal du départ.

— Bonne idée.

Quelques instants plus tard, deux pleurs vigoureux s'élevèrent en chœur, suivant la précision d'un métronome, avec une intensité égale. Maman Gagnon se tordit les mains d'énervement.

— Mais c'est une conspiration!

— Allons dans la cuisine pour les faire manger, rassura papa Gagnon. Tu sais combien Luce est plus gourmande que Lucie.

— Bonne idée. Mais avant…

Ouvrant le premier tiroir de la commode, maman Gagnon retira sans hésiter l'un des deux pyjamas vert et jaune. Attrapant le bébé le plus près de la fenêtre, donc par déduction bébé Luce, elle la changea en un tournemain. On ne sait jamais...

— Et voilà, lança maman Gagnon en soulevant sa fille à bout de bras. Maintenant, le test du Pablum. Tu as raison, Antoine, depuis leur toute première bouchée, Luce a toujours été plus gourmande.

Mais ce matin, oh! cauchemar, deux becs de moineau espérant la becquée s'ouvrirent à l'unisson.

— Mais c'est un coup d'État, se lamenta maman Gagnon. Que faire, grands dieux, que faire?

Mais surtout, qui est qui?

On nageait en plein dilemme.

Femme pratique, d'abord et avant tout, et espérant y trouver une réponse quelconque, sinon LA réponse, maman Gagnon profita des rares instants de liberté de sa journée pour consulter les quelques livres qu'elle avait en sa possession et qui traitaient des enfants jumeaux. Plus philosophe, papa Gagnon se contenta de se présenter au travail. Tous les deux, par des chemins détournés, ils arrivèrent à la même conclusion. Pourquoi s'en faire pour si peu?

— Ici, fit maman Gagnon en pointant un paragraphe de quelques lignes, c'est écrit noir sur blanc: les jumeaux identiques n'ont qu'une seule et même personnalité. On peut donc les interchanger, tu ne crois pas?

— Dans le fond, déclara papa Gagnon en se grattant le menton, à l'âge qu'elles ont, ce n'est qu'une question de nom. L'une ou l'autre, quelle importance?

— Elles sont mignonnes toutes les deux. Ça ne changera rien.

— Et personne d'autre que nous ne peut savoir. C'est ça l'important.

On décréta donc que le bébé en pyjama vert et jaune était Luce et par le fait même, le bébé en pyjama rose et blanc, Lucie. On n'y verrait que du feu. Et elles étaient aussi mignonnes dans le vert que dans le rose. Seule l'estime de soi de maman Gagnon en prit pour son rhume. Que disait-elle encore à propos de l'instinct maternel?

— Il serait temps d'avoir un second lit, décréta-t-elle après les avoir couchées pour la nuit.

Papa Gagnon opina du bonnet. Sa femme avait raison : on n'est jamais trop prudent.

Et l'on reprit l'éducation des jumelles là où on l'avait laissée. Tout en double, rigoureusement identique, Luce en premier, Lucie en second, à l'exception de l'habillement, Lucie en rose et Luce selon les humeurs de maman Gagnon. Son droit d'aînesse lui octroyait la faveur d'une certaine diversité, à savoir le vert ou le bleu, l'imagination de maman Gagnon ne s'aventurant pas au-delà de ces limites dans le spectre des couleurs.

— Luce a le teint plus clair, déclarait-on en guise d'explication. Le rose ne lui allait pas si bien.

— Ah! Oui?

Et les étrangers de s'approcher des jumelles, sourcils froncés.

— Vous ne voyez pas? C'est pourtant évident.

— Peut-être, en effet. Si on y regarde de près... Ce doit être votre œil de mère. Rien n'échappe aux yeux d'une mère.

Chaque fois, de tels propos provoquaient un soupir léger comme une brise.

Puis l'inévitable se produisit et, comme tous les bébés du monde, Luce et Lucie grandirent et furent bientôt assez grandes pour reconnaître leur nom. L'angoisse de maman Gagnon baissa d'un cran et l'on recommença à les habiller de façon identique. Luce et Lucie étaient tellement plus mignonnes en double copie.

Dans le quartier on les appelait les jumelles Gagnon.

Puis ce fut la rentrée scolaire, et les camps de vacances, et les activités sportives, et le secondaire...

Selon les besoins, et comme toutes bonnes jumelles qui se respectent, Luce et Lucie prirent grand plaisir à mystifier les gens. C'était surtout bien pratique les jours d'examen, Luce ayant vite compris qu'elle n'était pas douée pour les études en général et les langues en particulier.

Jusque-là, pas de problème : Luce décidait et Lucie suivait, selon la toute familiale conception des choses, à savoir le droit d'aînesse. Les cinq minutes d'aînesse de Luce lui conféraient une sagesse évidente et le droit de choisir. Philosophe comme son père, même si elle ne comprenait pas toujours pourquoi il fallait vivre en double copie et surtout, passer après sa sœur et faire ce qu'elle voulait, Lucie en avait conclu qu'il était plus simple de suivre sans rouspéter que de tenir tête à toute sa famille. Ce qui ne l'empêchait nullement de ressentir à l'occasion une certaine frustration à n'être que la seconde en tout. Mais comme, à cette époque de l'adolescence, les études primaient dans leur vie de jumelles et que Lucie, contrairement à Luce, aimait bien les études en général et les cours de français en particulier, Lucie prit l'habitude de suivre sans discuter. Étudier pour deux ne lui causait aucun problème.

Dans le quartier, maintenant, on les appelait les sœurs Gagnon.

Puis le secondaire fut derrière elles.

Luce et Lucie venaient d'avoir dix-sept ans.

— Je vais prendre un cours de couture, décida Luce. Dessin de mode... Et toi, Lucie, tu t'inscriras au cours de confection pour dames.

— Mais moi aussi je veux faire du dessin! rouspéta Lucie.

Luce trépigna. C'est qu'elle n'était pas habituée à voir Lucie la contredire et prendre l'initiative d'une décision. Pratique comme sa mère, Luce aimait bien diriger les opérations du quotidien et jusqu'à ce jour, avec la bénédiction familiale, Lucie lui concédait ce droit. D'autant plus que c'était dans la normalité des choses: elle était l'aînée. Mais voilà que ce matin, Lucie venait brouiller les cartes.

Luce en avait des picotements dans le nez!

— Tu veux encore faire comme moi? Pour une fois dans ta vie, tu n'as pas envie de faire ce que tu veux au lieu de me suivre comme un petit chien de poche?

Faire ce qu'elle voulait? Lucie fronça les sourcils et se donna un instant de réflexion. Mais c'est du dessin qu'elle voulait faire, Lucie, pas de la confection! C'est Luce qui embrouillait tout. Comme d'habitude, finalement. À force de toujours faire ce qu'elle voulait sans trop réfléchir, Luce en était venue à ne plus réfléchir du tout!

Lucie en avait des picotements dans le nez.

Combien de fois au cours de leur vie avait-elle obtempéré pour acheter la paix? Brusquement, il lui semblait que sa vie entière n'était qu'une suite plus ou moins régulière de compromis avec elle-même. Enfant, pour une question de couleur de robes ou l'envie d'un dessert, ça pouvait toujours aller. Mais aujourd'hui…

Pourtant, Luce avait raison sur un point : Lucie n'avait pas du tout envie de suivre sa sœur, et l'occasion se présentait enfin. Mais pour ce faire, elle devrait prendre les cours de confection, ce qui ne l'intéressait que modérément. Ou tenir son bout, prendre les cours de dessin qui lui faisaient envie, et, encore une fois, avoir l'air d'un petit chien de poche, comme le disait si bien Luce. Curieux débat… L'enjeu était de taille, la décision existentielle ! Tout son avenir dépendait des quelques mots qu'elle dirait. Dessin ou confection ? Se tenir debout ou suivre comme un chien de poche ? L'image d'elle-même, à quatre pattes, trois pas derrière sa sœur, lui déplaisait tellement que Lucie en éternua.

À des lieux de ce cruel combat, Luce poursuivait sur sa lancée.

— Comme ça, on pourrait ouvrir notre boutique comme on en a si souvent parlé.

Bon point pour elle. Les sourcils de Lucie se froncèrent un peu plus sous l'effort de la concentration. C'est vrai qu'elles avaient souvent parlé d'ouvrir une boutique de couture, et Lucie autant que Luce en avait grande envie.

— D'accord, laissa-t-elle finalement tomber en soupirant, à bout de souffle, épuisée d'avoir si intensément réfléchi, elle plutôt habituée à suivre. Je vais m'inscrire au cours de confection.

L'image qu'elle se faisait d'elle-même, à quatre pattes derrière sa sœur, lui était franchement trop pénible. Pourtant c'était encore un compromis, Lucie en était fort consciente.

C'était du dessin qu'elle voulait faire. Mais comment penser exploiter une boutique de couture sans couturière ? Quel casse-tête !

— Merveilleux ! jubila Luce. Tu vois que ce n'est pas si difficile de prendre ses propres décisions.

Lucie leva les yeux au ciel, ramenée sur-le-champ à la conception familiale des choses. Pauvre Luce, elle ne comprendrait jamais rien...

Ainsi donc, un an plus tard, au coin de la rue qui les avait vues naître, Luce et Lucie Gagnon ouvraient une jolie boutique de mode. *Frou-Frou*, pouvait-on lire en façade, sur une enseigne de bois blanc, liserée d'or. *Conception et confection pour dames, L. et L. Gagnon.*

Dans le quartier, avec respect, on les appelait maintenant les demoiselles Gagnon.

L'entreprise s'avéra prospère, leur belle réputation débordant largement les limites du quartier. Quelques années plus tard, Luce et Lucie se portaient acquéreurs de l'immeuble qu'elles occupaient et emménageaient leur logement personnel à l'étage supérieur, n'ayant, ni l'une ni l'autre, quelque prétendant que ce fût. Leur trop grande ressemblance avait fait fuir les rares braves qui s'étaient aventurés à les courtiser. Habituellement, une soirée ou deux en compagnie de Luce et Lucie suffisait à décourager même les plus épris. C'était épuisant d'essayer de deviner constamment qui était qui.

Et les années passèrent, la couture étant en soi le but à atteindre et le moyen de parvenir à une situation sociale enviable. La pelote d'aiguilles et la bobine de fil courtisaient le vase de fleurs, la jarre de farine et le pot de sucre, quand ce n'était pas le tube de dentifrice. Un seul mode de vie : la couture. Mais deux philosophies différentes : Luce dessinait avec passion et Lucie cousait sans conviction. Seuls les goussets bien garnis mettaient un baume sur son manque d'enthousiasme.

Elles venaient d'avoir soixante ans, et la vie coulait inexorablement ses journées de plaisir sans cesse renouvelé pour l'une et de résignation silencieuse pour l'autre. Une vie sans grande surprise jusqu'à maintenant, admirablement bien concoctée par une enfance où le droit d'aînesse avait eu ses lettres de noblesse.

Jusqu'au jour où, terrassée par l'âge ou le remords, maman Gagnon décida qu'il était temps de tirer sa révérence. Papa Gagnon vint chercher ses filles : leur mère les quémandait de toute urgence. Elle avait une révélation à faire avant qu'il ne fût trop tard.

Les demoiselles Gagnon fermèrent donc leur boutique, au beau milieu de l'après-midi, pour une première fois en quarante ans, et se précipitèrent chez leurs parents qui habitaient à trois pâtés de maisons.

Luce fut la première à accéder à la chambre assombrie, son droit d'aînesse continuant d'avoir cours légal en tous lieux et à tout moment.

Elle ressortit de la chambre une lueur d'excuse au fond des prunelles. Elle n'y était pour rien dans tout ce gâchis, et ce n'était surtout pas sa faute si elle était née la première. Car c'était bien ce qui ressortait de la révélation de maman Gagnon : papa Gagnon se joignait à elle pour l'avouer : il y avait eu un moment de panique et d'hésitation devant les jumelles quand elles avaient six mois. Et pendant quelques semaines, ils ne savaient trop qui était qui. Ce n'est que la vie qui leur avait finalement donné raison : Luce avait bel et bien démontré qu'elle était l'aînée, car c'était toujours elle qui décidait.

Puis ce fut au tour de Lucie d'accéder à la chambre.

Elle en revint quelques instants plus tard, une lueur de défi au fond des prunelles. La révélation de maman Gagnon venait d'apporter l'explication à certains épisodes de sa vie où elle s'était sentie lésée de toujours devoir suivre sa sœur. C'est qu'au fond, elle était l'aînée, et tout son être tentait de le lui dire. Sinon, pourquoi cette facilité à accepter d'être toujours la deuxième ? Ce n'était pas la preuve de son rang qui faisait d'elle la suiveuse de la famille, comme le croyait si naïvement maman Gagnon. C'est qu'elle était l'aînée, donc la plus sage. C'était criant de vérité. Toute sa vie avait baigné dans cette affirmation : l'aînée était toujours la plus sage.

Luce et Lucie échangèrent leur long regard de jumelles qui dit tout sans avoir à prononcer les mots. La situation méritait explications, elles en convenaient tacitement, Luce acceptant de reconnaître que pour Lucie ce devait être difficile d'être toujours la deuxième, Lucie espérant entendre sa sœur admettre qu'il y avait peut-être eu erreur.

Mais ce n'était ni le lieu ni le moment d'en découdre. Même pour deux couturières, c'est le moins que l'on puisse dire.

Elles se contentèrent de revenir ensemble à la chambre de leur mère.

C'est alors que maman Gagnon eut ces derniers mots à leur intention. Voulant peut-être se faire pardonner, ou toujours sous l'emprise d'une certaine incertitude, ou encore pour mettre un baume sur certaines déceptions, maman

Gagnon ajouta donc, dans un souffle, avant de refermer les paupières, alors que ses deux filles se penchaient à ses côtés : « Dans le fond, quelle importance ? Je vous ai aimées toutes les deux. »

Ce furent ses derniers mots. Luce les reçut avec un hochement de tête compréhensif : en effet, quelle importance ? Lucie les reçut avec un redressement d'épaules impatient. Comment, quelle importance ? Toute sa vie avait été érigée sur cette notion du droit d'aînesse et voilà que cela n'aurait plus d'importance ?

Sans le savoir, et surtout sans le vouloir, maman Gagnon venait de jeter de l'huile sur un feu qui couvait depuis longtemps.

Il y avait donc eu usurpation d'identité, c'était clair comme de l'eau de roche.

Et de ce fait, Lucie avait cousu pour rien pendant plus de quarante ans.

Un long regard unit les deux sœurs pendant que Luce haussait les épaules et que Lucie les redressait. Puis elles se détournèrent et revinrent toutes deux dans le salon auprès de leur père, sans dire un mot. C'est finalement la paix dans l'âme que maman Gagnon s'envola pour d'autres cieux, convaincue qu'elle avait fait ce qu'il fallait faire.

Il y eut quelques larmes versées, le salon funéraire, les funérailles, et la vie allait reprendre son cours. Du moins, c'est ce que Luce se plaisait à croire. Car, à bien y penser, il n'y avait rien de changé. La confession de maman Gagnon ne faisait que confirmer ce que tous savaient déjà : elle avait aimé ses deux filles.

Pourtant, au retour des funérailles, avant de relever les

toiles qui obscurcissaient la boutique en leur absence, Lucie, qui était loin de partager les vues de sa sœur, tenta un règlement à l'amiable. Depuis trois jours que maman Gagnon avait tout avoué, Luce et Lucie n'avaient pas échangé plus de cinq mots, chacune perdue dans des réflexions qui lui étaient propres. Une longue perche de bois à la main, la boutique toujours plongée dans une pénombre jaunâtre à cause des toiles de plastique ambre, Lucie s'était retournée face à sa sœur.

— Tu ne crois pas qu'on devrait en parler?

Le ton était doux. Pourtant, Luce sursauta, fourragea un instant dans les robes enlignées sur leurs cintres pour camoufler la rougeur inexplicable qui lui montait aux joues. Puis, d'une voix indifférente :

— Parler de quoi? Du décès de maman? C'est triste n'est-ce pas?

Lucie leva deux sourcils circonspects. Triste? Oui, peut-être. Mais Lucie n'en était pas là, et Luce le savait fort bien. Elles n'étaient pas jumelles pour rien et depuis le temps, Lucie connaissait les moindres rouages du cerveau de sa sœur. Luce avait peut-être pris l'habitude de décider, et l'éducation familiale l'avait grandement aidée en ce sens, mais elle n'était pas celle des deux qui réfléchissait le plus. Il était peut-être temps de replacer les choses dans leur véritable perspective. La grogne de Lucie monta d'un cran, aidée par une vivacité d'esprit tenue en laisse jusqu'à ce jour.

— Ne fais pas l'imbécile. Ce n'est pas ce dont je veux parler.

Le ton était nouveau et à tout le moins surprenant. Luce leva un sourcil circonspect. Puis le deuxième.

— Je ne fais pas l'imbécile, c'est toi qui cherches encore une fois à jouer sur les mots.

— Moi ? Jouer sur les mots ?

— Oui, toi ! Depuis toujours tu cherches à gagner la faveur des parents en jouant sur les mots. Ce n'est toujours bien pas ma faute si je suis née la première !

Comment osait-elle ? C'était ajouter l'injure à l'insulte ! Si, jusqu'à ce jour, c'était là l'argument qui faisait flèche de tout bois dans la famille Gagnon, la confession de maman Gagnon avait permis d'avoir des doutes. Et c'est tout ce que Lucie voulait entendre : que Luce partageait ces doutes. Rien de plus. Cela suffirait à calmer sa déception, à diminuer sa frustration, à renforcer leur complicité, et Lucie s'engageait à reprendre la vie là où elles l'avaient laissée trois jours auparavant. Mais il semblait bien que sa sœur était à des lieux de telles considérations. Comme toujours, elle n'avait entendu que ce qu'elle voulait bien entendre et cherchait à profiter de sa situation d'aînée. La grogne de Lucie se transforma aussitôt en une colère froide et déterminée. Un courroux nourri par les frustrations qui avaient ponctué sa vie.

— La première ? Ça, c'est toi qui le dis. On n'a aucune preuve.

— Ce n'est pas ce que maman m'a dit.

— Trop tard pour vérifier. À moi, vois-tu, elle a laissé entendre le contraire. À tout le moins, elle admettait avoir des doutes raisonnables.

— Et puis après ? Elle a aussi dit que ça n'avait pas d'importance. Ça, tu ne peux pas le nier, on était toutes les deux à ses côtés.

— C'est exactement ce que je dis. Si maman a osé

affirmer que ça n'avait pas d'importance, c'est qu'elle savait s'être trompée. Voilà tout.

— Va donc le prouver.

— Il n'y a rien à prouver. C'est un fait. Si j'ai toujours plié devant toi, c'est que j'étais la plus raisonnable.

L'argument était de poids, la sagesse étant le second élément dans la famille, celui qui complétait harmonieusement le droit d'aînesse. Que répondre ? Peu encline à céder, jouant le tout pour le tout sur des attitudes qui avaient fait leur preuve depuis plus d'un demi-siècle, Luce écarta l'hypothèse d'un revers de la main.

— Peuh !

La réplique de Luce n'était que souverain mépris, attisant le feu nourri des frustrations de Lucie. Cette dernière comprit alors que la complicité existant entre elles n'était que le fruit de sa passivité et de sa totale collaboration en tout.

Pendant un instant les jumelles se regardèrent en chiens de faïence.

Les hostilités venaient d'être déclarées.

Dès le lendemain, Lucie se faisait couper les cheveux, seule différence possible entre deux femmes qui n'étaient en fait qu'une copie l'une de l'autre.

Et de ce jour, Lucie s'ingénia à empoisonner l'existence de sa sœur.

Elle avait soixante ans d'injustice à réparer et quarante ans de couture à se faire rembourser. On ne peut s'emparer de l'existence d'une autre sans avoir à en payer le prix un jour ou l'autre.

Tout devint prétexte à remarque, réprimande, moquerie, dédain, asticotage, ergotage, la vivacité de ses réparties n'ayant d'égal que le manque d'imagination de sa sœur. Du matin au soir, à la boutique, à l'atelier, à l'épicerie, sur le perron de l'église, dans un taxi, chez le marchand de tissus, devant les clientes, Lucie se faisait un devoir de reprendre Luce, à tous propos, parfois pour des peccadilles. Que voulez-vous, elle avait une vie de couture à rattraper!

Dans le quartier, on les appelait maintenant les vieilles filles Gagnon.

Et les années passèrent. Hormis le chignon que Luce portait haut sur le crâne et les bouclettes que Lucie laissait valser sur sa nuque, les jumelles vieillissaient comme elles avaient vécu: copie conforme en tout. Les mêmes rides, les mêmes plissements, les mêmes tremblements, le même dos voûté, les mêmes articulations raidies par l'arthrite. Et, depuis quelques années, le même fichu caractère détestable et grincheux, Luce palliant son déficit imaginatif par la seule et unique répartie qui lui était venue à l'esprit, mais au demeurant fort efficace.

— Jalouse!

Dans le quartier, on les appelait dorénavant les sorcières Gagnon tant leur mauvais caractère effarouchait les enfants.

Et si ce n'était de leur excellente réputation de couturières qui avait traversé le temps sans y laisser de plumes, on les aurait cordialement abandonnées à leur sort.

Puis un bon soir, il arriva ce qu'il devait arriver. La vieillesse avait terrassé Luce. Lucie trouva sa jumelle endormie pour l'éternité, encore assise devant le poste de télévision. Perplexe, Lucie la regarda un moment, les sourcils en accent circonflexe. N'était-ce pas là la preuve irréfutable de son rang d'aînée, puisqu'elle avait passé l'arme à gauche en premier?

Terrible constatation.

L'hésitation fut pourtant de courte durée.

Si Luce allait manger les pissenlits par la racine la première, c'était la preuve de sa plus fragile constitution. Voilà tout. Ce n'était qu'une preuve supplémentaire, si besoin en était, que Luce était Lucie et donc, par le fait même, la deuxième. Cela étant dit avec le souverain mépris que Lucie avait toujours affiché face à ce second rang.

— Peuh!

Ce n'était là que juste retour des choses, la balance penchait enfin en sa faveur. Avec un peu de chance, il devait bien rester en réserve quelques années devant Lucie où elle allait enfin pouvoir manger ce qu'elle voulait, aller où elle voulait, porter ce qu'elle voulait…

La liste était sans fin.

Ne restait qu'à régler le sort de la machine à coudre. Soixante ans le dos courbé à s'arracher les yeux suffisaient amplement.

Lucie prit le temps de s'asseoir pour réfléchir.

Laisser tout tomber en alléguant que le décès de sa jumelle l'avait anéantie?

Lucie fit la moue. Ce n'était pas suffisant.

Fermer boutique en prétextant son grand âge?

Lucie fit encore la moue. Que ferait-elle de ses journées?

C'est alors que son cerveau, rompu à trouver répartie brillante en tout temps et en tout lieu – pensez-vous! depuis vingt ans qu'on exigeait de lui qu'il fût brillant – le cerveau de Lucie, donc, décida qu'il était grand temps de prendre les commandes. Il allait régler le problème, et une bonne fois pour toutes.

La boussole interne de Lucie se détraqua, le cerveau se mit à réfléchir tout de travers, devenu subitement fou. Il en avait assez de toutes ces tergiversations et ces compromis de toutes sortes, il était épuisé. Il décida commodément d'oublier ce qu'il venait de voir et commença à élaborer un plan...

Quand elle s'éveilla ce matin-là, Lucie se sentait terriblement fatiguée. Comme si elle n'avait pas dormi de la nuit.

Curieux !

Quand elle entra dans l'atelier, il y avait, dans un coin de la pièce sur le vieux mannequin de broche, une robe qu'elle n'avait jamais vue. Pourtant, Lucie ne se souvenait pas d'avoir cousu cette robe-là.

Encore plus curieux.

Et quand elle s'en approcha, elle découvrit, sur la table de coupe à côté de la machine à coudre, le dessin inédit qui avait servi de base à sa confection. Luce aurait-elle décidé de travailler de nuit, maintenant ?

De plus en plus curieux !

— Luce, viens ici, un instant !

Pas de réponse.

— Luce, allons, ne te fais pas tirer l'oreille pour une fois.

Toujours pas de réponse.

— Maudite tête de cochon, marmonna-t-elle en pivotant sur elle-même. Quand c'est pas elle qui décide, mademoiselle fait la sourde oreille.

Mais quand elle entra dans le salon, Lucie s'arrêta net. Dans le fauteuil devant le poste de télévision, sa sœur était affalée, à demi couchée, les yeux entrouverts. Luce était morte, sans le moindre doute.

Depuis quand ?

Lucie s'en approcha en se dandinant sur ses courtes jambes flageolantes, question de vérifier.

— Doux Jésus, Luce est morte.

Elle s'en approcha davantage et de nouveau s'arrêta net.

— Elle a les cheveux courts, s'exclama-t-elle en haussant les sourcils. Donc, c'est Lucie !

Se tirant une chaise à côté de sa sœur, Lucie prit le temps de réfléchir.

— Pourtant, ce matin, en m'éveillant, j'étais Lucie, marmonna encore la vieille dame.

Par réflexe elle porta la main à sa nuque. Pas de doute, elle avait les cheveux courts. Donc elle était bien Lucie. À moins qu'elle ne fût Luce et qu'elle eût décidé de se couper les cheveux pour embêter sa sœur.

— Tiens ! Ce serait une bonne idée.

Puis elle repensa à la robe dans l'atelier.

Qui donc avait fait le dessin, puisque Lucie n'avait jamais appris à dessiner ?

Et qui donc avait cousu la robe, puisque Luce ne cousait jamais ?

La vieille dame trottina jusqu'à l'atelier. Pas de doute, cette robe-là venait d'apparaître. Elle n'y était pas hier soir, et le dessin non plus. Elle s'en souvenait fort bien, puisque c'était elle qui avait rangé l'atelier avant le souper.

Mais que s'était-il passé ? Et surtout, qui était qui ?

Lucie s'empara d'un crayon, d'un papier et s'installa à la table de Luce.

Instinctivement, la main se mit à courir sur le papier et en un rien de temps, une jolie robe apparut sur la feuille blanche.

— Donc, je suis Luce, constata la vieille dame.

Les sourcils en accent circonflexe, elle se releva, s'empara d'une paire de ciseaux et d'un rouleau de tissu.

Instinctivement, les ciseaux se mirent à zigzaguer sur le coupon de coton fleuri et en un rien de temps, la robe était taillée. Alors, sans la moindre hésitation, question d'aller au bout des vérifications, elle s'installa à la machine à coudre et la mit en marche. Deux heures plus tard, la seconde robe prenait la place de la première sur le vieux mannequin de broche.

— Donc je suis Lucie, constata la vieille dame.

Mais comment se faisait-il que Luce eût les cheveux courts, si elle était Lucie? À moins que ce ne fût Lucie, là-bas dans le salon, et que Luce eût décidé de se faire couper les cheveux. Allez donc savoir?

Et comment se faisait-il qu'elle sût dessiner si elle était Lucie?

Peut-être tout simplement l'instinct d'une vieille dame qui avait toujours rêvé de dessiner…

Mais comment avait-elle réussi à coudre la robe si elle était Luce?

Peut-être tout simplement à force d'avoir vu sa sœur coudre…

Exaspéré d'avoir été constamment sollicité à trouver répartie sur répartie pendant plus de vingt ans, le vieux cerveau était tout déboussolé. L'aiguille tournait dans tous les sens, incapable de se fixer.

Deux jours plus tard, à la demande d'une cliente inquiète de ne recevoir aucune réponse à la boutique où elle venait chercher sa robe, la police défonça la porte. Dans l'appartement au-dessus du magasin, on retrouva deux très vieilles dames. L'une était morte, l'autre, affalée dans un fauteuil, marmonnait à n'en plus finir.

— Luce ou Lucie ? Peut-être l'une, peut-être l'autre. Quelle importance ? Moi, je suis Luce parce que je sais dessiner. Mais peut-être aussi Lucie parce que je sais coudre. Qui est l'une et qui est l'autre ? Quelle importance ? Seul le droit d'aînesse est important ! N'est-ce pas maman que le droit d'aînesse est important ? C'est Luce qui le dit. Mais Lucie est d'accord. Alors Luce ou Lucie, quelle importance, je vous le demande un peu ? C'est maman qui l'a dit.

Les autorités conclurent au décès naturel de Lucie car, à côté du cadavre, on avait découvert une paire de ciseaux et quelques cheveux. Quoi de plus normal pour une couturière, n'est-ce pas, que d'égaliser elle-même sa coupe de cheveux ? On ne poussa donc pas l'enquête plus loin. Mourir à quatre-vingts ans est une chose naturelle. On ne fouilla pas l'appartement à la recherche d'indices, on ne questionna pas les voisins sur les habitudes des deux vieilles dames. C'est pourquoi personne ne découvrit la toque de cheveux soigneusement enroulée dans une retaille de tissu, cachée dans un sac de papier, enveloppée dans un vieux carton. Et personne ne porta attention à celle des deux qui restait et qui, dans un dernier sursaut de lucidité, tout juste avant les funérailles, tenta de les convaincre qu'elle était Lucie.

— Ce n'est pas Lucie qui est morte, c'est Luce. Par contre, Lucie dessine comme Luce et Luce, probablement, aurait été capable de coudre comme Lucie, j'en conviens, d'où la méprise. Je le sais, j'ai essayé. Lucie n'avait qu'à prétendre qu'elle était Luce et faire le travail de Luce et de Lucie. La clientèle n'y aurait vu que du feu, n'est-ce pas ?

Qu'importe que ce soit Luce ou Lucie? Seul le droit d'aînesse a de l'importance, monsieur. Ça, oui. C'est ma mère qui l'a dit, même si elle semblait avoir changé d'idée à la dernière minute. Mais je suis Lucie qui voulait prétendre qu'elle était Luce. Comme à l'école pour les examens. Luce ou Lucie, on s'y perd, n'est-ce pas? C'est ce que tout le monde nous a toujours dit. Même mes parents, vous savez, ne savaient pas qui était qui. C'est pourquoi je suis Lucie, mais je pourrais peut-être être Luce. Et vous, est-ce que vous me suivez? Non? C'est pourtant simple. Je recommence. Je suis Lucie qui voulait être Luce. À moins que Luce n'ait accepté, il y a de cela de nombreuses années, d'être Lucie. Alors là, oui, ce serait Lucie qui serait morte. Mais Luce n'a jamais voulu être Lucie. Par contre, c'est évident que Luce aussi aurait pu être Lucie. Mais attention! Je ne dis pas que Luce voulait être Lucie, je dis seulement que Luce aurait pu être Lucie. La nuance est de la toute première importance. Parce que Luce tenait à être Luce alors que Lucie elle, saurait s'accommoder de ne plus être Lucie.

L'enquêteur se contenta d'écouter sans porter attention au discours pour le moins décousu de la vieille dame. Et de clore le dossier, ne retenant que l'hypothèse du décès par vieillesse de Lucie Gagnon, tel que constaté par les constables Côté et Labonté.

Un vague cousin, d'une lointaine parenté, s'occupa de vendre l'immeuble, de placer la vieille dame qui ne cessait de déclarer à qui voulait l'entendre qu'elle était Lucie, probablement. Mais peut-être aussi Luce, ce serait à vérifier.

— Pauvre vieille. Pas drôle de perdre sa jumelle quand

on a vécu ensemble pendant quatre-vingts ans. Assez pour perdre la boule, ça c'est certain.

Et depuis ce jour, quand on parle de Luce Gagnon dans le quartier, on parle de la folle Gagnon.

— Vous savez bien, celle qui avait une jumelle qui s'appelait Lucie! Eh bien! Imaginez-vous donc qu'elle a perdu l'esprit. Depuis que l'autre est morte, elle n'arrête pas de prétendre qu'elle est Lucie!

Mamzelle Joséphine

Dans son pays, Joséphine était un prénom courant.

Ici, il était plutôt dépassé.

Dans son pays, il faisait beau et chaud la plupart du temps.

Ici, il faisait gris et froid plus souvent qu'autrement.

Dans son pays, elle avait maintes fois rêvé de neige légère.

Ici, elle regrettait amèrement et quotidiennement ses palmiers.

Dans son pays, on l'appelait mamzelle Joséphine avec déférence. Elle faisait partie de la classe dominante et on la respectait pour son grand savoir.

Ici, on l'appelait aussi mamzelle Joséphine, mais avec une certaine moquerie dans la voix. Elle faisait partie de la minorité visible et on l'engageait comme femme de ménage.

Mamzelle Joséphine était née dans un pays de soleil, à une époque de grande prospérité économique et touristique. Elle avait eu droit à la meilleure éducation, celle réservée aux Blancs ou aux bien-nantis dont sa famille faisait partie. Avec ses parents, elle avait habité une vaste demeure surplombant la mer. Le cri des goélands avait toujours été son réveille-matin. Le chant créole de sa nounou avait bercé l'heure du sommeil durant son enfance. Elle n'avait connu ni la faim ni le froid, et le fait que son pays fût un monde d'injustice sociale n'avait jamais effleuré son esprit. Les choses avaient été ainsi depuis tant et tant de générations que chacun les considérait comme acquises ou normales. Mais parce que son père était médecin et sa mère guérisseuse, mamzelle Joséphine avait aussi appris le respect des autres en même temps que l'alphabet, et jamais elle ne s'était moquée de plus petit qu'elle.

Son enfance avait donc été bercée d'eau de mer, de soleil, de jardins fleuris. Son adolescence avait été nourrie d'études classiques, de musique et de bals en jolies robes vaporeuses. Le dirigeant de son pays s'étant octroyé le titre de souverain absolu, il avait décrété l'instauration d'une certaine aristo-cratie locale dont la famille de mamzelle Joséphine faisait partie. La jeune fille n'avait connu de l'existence que dou-ceurs, facilité, aisance. Bien sûr, elle avait donné le meilleur d'elle-même dans ses études, son père jugeant que chaque privilège portait en soi un prix à payer. Mamzelle Joséphine avait eu la chance de naître du bon côté de la clôture malgré sa peau d'ébène, elle avait donc dû se montrer à la hauteur de la situation. Elle avait terminé ses études universitaires avec mention d'excellence et commencé sa vie de femme sans autre arrière-pensée que celle d'être à la hauteur des attentes de ses parents. Trop occupée à parfaire son savoir, mamzelle Joséphine n'avait jamais songé à se marier. Trop occupée à mettre son savoir en application, elle n'y avait plus pensé. La résidence familiale était vaste, les domestiques nombreux et chacun vivait en harmonie, ce qui convenait parfaitement à la nature perfectionniste et généreuse de mamzelle Joséphine. Tout au long du jour, chacun vaquait à ses occupations et, le soir venu, on pouvait entendre une mélodie de Mozart ou de Chopin jouée sur le clavier du piano, qui s'échappait par la fenêtre du salon. Pendant ce temps, à l'arrière de la maison, c'était quelque chant créole soutenu de percussion improvisée qui se glissait par la fenêtre de la cuisine, largement ouverte sur la nuit parfumée d'hibiscus et d'azalée. Maîtres et valets vivaient en parfaite symbiose dans une ambiance de respect mutuel, chacun pleinement satisfait de son sort.

Pour mamzelle Joséphine et ses parents, la vie était quelque chose de simple et de beau pourvu qu'on y mît les efforts nécessaires, du respect et de l'honnêteté. Pour leurs serviteurs, la vie était aussi quelque chose de simple et de beau, puisqu'ils avaient la chance d'avoir de bons maîtres et qu'ils ne connaissaient ni la faim ni le froid.

Mamzelle Joséphine avait donc vécu quarante ans de vie heureuse.

Mais il était arrivé ce qui arrive souvent quand la classe dominante se met à trop dominer. Les injustices avaient été de plus en plus flagrantes, la grogne s'était installée à demeure, les larcins s'étaient multipliés, les revendications avaient quitté les cabanes pour s'exprimer sur les places publiques, il y avait finalement eu des attentats. Et parce que le père de mamzelle Joséphine était un bon médecin, aimé de tous, il avait appris, sous le couvert de l'amitié, qu'il y aurait pire. Valait mieux quitter le pays le plus rapidement possible. Il avait donc fait ce qu'il jugeait essentiel de faire dans les circonstances : il avait mis à l'abri ce qu'il avait de plus précieux, sa fille.

Il avait donc réveillé mamzelle Joséphine en pleine nuit, l'avait aidée à préparer un tout petit bagage et l'avait conduite au port du village voisin. Un vieux rafiot grinçant s'apprêtait à quitter le quai.

— Le temps que les choses se tassent et tu reviens, avait-il promis à sa fille en l'embrassant.

— Et vous? Et maman?

— Notre devoir est ici. Surtout en temps de crise.

— Et moi alors? C'est aussi mon pays. Et mon métier ferait de moi une femme utile. Surtout en temps de crise, justement.

— S'il te plaît...

Il y avait tant d'inquiétude et de tristesse dans le regard de son père que mamzelle Joséphine n'avait pas insisté. De toute façon, dans son pays, l'obéissance aux parents était une vertu que l'on cultivait avec ferveur, même la quarantaine avouée. Elle avait grimpé sur le bateau et, les yeux noyés de larmes, mamzelle Joséphine avait regardé son île disparaître dans la brume du petit matin alors que le vieux navire s'éloignait en tanguant.

Son intuition lui faisait anticiper le pire. Reviendrait-elle un jour?

Elle était entrée au Canada par la porte de côté, avait vécu quelques semaines sur le pécule fourni par son père à son départ, dans la crainte constante d'être découverte, et surtout dans la hantise d'apprendre qu'il était arrivé malheur à ses parents. Mais comme elle était d'abord et avant tout une femme de principes, la situation lui avait rapidement été intolérable. Elle s'était présentée aux bureaux de l'Immigration et avait expliqué la raison de son arrivée discrète au pays. Tant pis pour les conséquences, elle n'en dormait plus la nuit! On avait pris des notes, analysé le dossier, discuté de sa pertinence. Comme on savait que le pays de mamzelle Joséphine était mis à feu et à sang depuis quelque temps, on avait accepté ses revendications. On avait statué que d'immigrée illégale et clandestine elle deviendrait dorénavant réfugiée politique. Mamzelle Joséphine avait poussé un soupir de soulagement, elle détestait tout ce qui n'était pas conforme aux lois. Elle allait pouvoir enfin vivre au grand jour, se trouver un emploi à la hauteur de ses connaissances, dénicher un appartement digne de ce nom, manger autre chose que des conserves bon marché, s'acheter des vêtements compatibles avec ce froid de...

— Par contre...

Mamzelle Joséphine avait levé un sourcil curieux et inquiet.

— Par contre, vous comprendrez que les études dans votre pays ne sont pas les mêmes qu'ici. Nous ne pouvons donc reconnaître la validité de votre diplôme. À moins que vous n'acceptiez de parfaire vos connaissances à la lumière de nos exigences. Peut-être trois années d'études ou quelque chose dans ces eaux-là, avait-on fait négligemment, avec un vague geste de la main qui laissait sous-entendre que trois n'était qu'une approximation.

Le préposé à l'Immigration était un petit homme sec, à la tignasse orange, à la peau aussi blanche que celle de mamzelle Joséphine était noire, au verbe cassant malgré la mollesse des propos. Il avait cependant eu la politesse, mais dans le fond ce n'était que stratégie, de ne pas dire que venant d'un pays aussi attardé en matière de sciences et de technologie, pour ne pas dire carrément illettré, ce diplôme n'était pour eux qu'un bout de papier sans grande valeur. Il gardait cet argument en cas de protestation. Il n'avait pas eu besoin de s'en servir, mamzelle Joséphine étant par nature peu encline à protester. Elle qui rêvait de quitter les bureaux de l'Immigration la tête haute, elle en était ressortie les épaules voûtées par la fatalité et une grande déception. Qu'allait-elle devenir? Ajoutez à cela l'inquiétude dévorante suscitée par les nouvelles alarmantes qui lui venaient de son pays et vous comprendrez qu'elle avait eu un instant d'hésitation. Elle avait même étudié la possibilité de retourner chez elle, avait pensé à son père et soupiré. Puis elle avait envisagé la possibilité de retourner aux études, pensé à l'énormité de la tâche et soupiré.

Alors elle avait regardé longuement autour d'elle.

Le petit trois et demi déniché au bout d'une ruelle n'était à ses yeux qu'un pis-aller : plancher aux tuiles écorchées quand elles n'étaient pas tout simplement absentes ; peinture écaillée, si on peut appeler peinture cet enduit luisant et grisâtre qui camouflait des murs aux planches disjointes ; cagibi en guise de salle de bain, sans fenêtre, et muni d'une douche si exiguë qu'une mamzelle Joséphine bien portante avait de la difficulté à s'y tenir confortablement ; cuisine à l'évier tellement éraflé qu'il fallait un effort soutenu de l'imagination pour se dire qu'il avait dû être blanc en des temps plus prospères. Par contre, cette pièce était vaste et bien aérée, la fenêtre donnait sur la façade de la maison et, par beau temps, la brise s'y engouffrait sans gêne. C'était bien agréable. Et cela avait été suffisant pour reconsidérer le statut de l'appartement, la cuisine étant aux yeux de mamzelle Joséphine la pièce la plus importante de la maison. Elle avait appris la gourmandise sur les genoux de sa nounou et l'art d'apprêter des mets succulents aux côtés de sa mère qui aimait bien voir aux repas elle-même. Manger était depuis toujours une seconde nature chez mamzelle Joséphine. C'est pourquoi elle s'était appliquée avec énergie à découvrir les qualités fort bien cachées de son modeste logis : salon orienté plein sud, donc économie de chauffage ; chambre petite mais pourvue de deux vastes placards, donc rangement suffisant compte tenu du nombre limité de ses effets et une cuisine, ma foi, fort acceptable avec ses nombreuses armoires et amplement d'espace pour s'y mouvoir agréablement. Le tout situé au centre de la ville, près de petits commerces de toutes sortes, dans un quartier que les gens appelaient Le Plateau avec une note de fierté dans la voix. Mamzelle Joséphine ne voyait pas vraiment pourquoi on pouvait être fier de logements aussi désuets que le sien, habituée qu'elle était aux pièces vastes et claires, à l'odeur saline et au soleil qui envahissait les moindres recoins mais bon, autre pays, autres mœurs, n'est-ce pas ?

Elle allait faire avec…

Sans rien y connaître puisqu'elle n'avait jamais eu besoin d'avoir en mains ni pinceau ou marteau, elle avait décidé qu'elle allait donner bonne mine à son logement et que désormais ce pis-aller serait sa résidence. C'était le nom que les gens de son pays donnaient à la maison de son enfance : la résidence du docteur Gentil. Pour mamzelle Joséphine, avoir un chez-soi, c'était avoir une résidence. Elle allait donc avoir sa résidence.

LES DEMOISELLES DU QUARTIER

Le terme avait mis un baume sur ses nombreuses déceptions et inquiétudes.

Ne restait, finalement, qu'à trouver un emploi, puisque
l'on refusait de reconnaître son diplôme, et quelqu'un
d'assez courtois pour lui expliquer comment donner un
peu d'allure à son taudis.

Mamzelle Joséphine avait trouvé réponses à ses interrogations à la quincaillerie du coin, tenue par un vieil immigrant
à la peau chocolat, qu'elle apercevait régulièrement par la
vitrine lorsqu'elle se promenait dans le quartier. Ici comme
ailleurs, le sentiment d'appartenance avait une valeur inesti-
mable, et mamzelle Joséphine avait aisément confié ses tracas
au vieux monsieur, alors qu'elle se promenait dans les allées
du commerce sans trop savoir par où commencer. Elle avait
donc parlé de son logement déprimant et du besoin qu'elle
aurait, très bientôt, de se trouver du travail.

Le vieux monsieur avait eu une première idée.

— Et si je demandais à mon fils de passer chez vous voir
ce qu'il en est exactement? Il est contremaître de chantier,
vous savez!

— Je ne voudrais abuser. Votre fils doit être quelqu'un
de bien occupé.

Le vieux monsieur, gentil comme tout, avait éludé
l'objection d'un geste désinvolte de la main.

— Allons donc! Pas tant que cela. Et si c'est moi qui le
lui demande...

Une notion qui rejoignait fort bien l'éducation de mamzelle Joséphine: quand la demande venait des parents, on
ne pouvait refuser. La répartie suivante avait achevé de la
convaincre.

— Il faut bien s'aider entre nous, n'est-ce pas?

Ce lien ténu mais bien visible entre le vieux monsieur à la peau chocolat et une mamzelle Joséphine noire comme la nuit et fort seule avait été aussi chaud qu'un rayon de soleil des îles.

— D'accord! Je repasse demain pour voir si cela lui convient. Malheureusement, je n'ai pas encore le téléphone.

Et alors qu'elle tournait les talons pour regagner la sortie, le vieux monsieur avait eu une seconde idée, tout aussi pertinente que la première.

— Pour ce qui est de trouver un travail, jetez donc un coup d'œil au babillard dans l'entrée. Il y a toutes sortes d'offres accrochées là. On ne sait jamais. Vous allez peut-être trouver quelque chose.

Et mamzelle Joséphine avait trouvé.

Ici, il y avait une demande pour une dame de compagnie ayant une belle éducation, disponible deux après-midi par semaine. Cette mention de belle éducation rejoignait aisément la conception naturelle que mamzelle Joséphine avait de sa culture personnelle, n'en déplaise au préposé carotte des bureaux de l'Immigration. Et là, on espérait trouver une dame de santé florissante, capable de faire l'entretien d'une vaste résidence. Le mot résidence lui avait fait prendre en note le numéro de téléphone. Mamzelle Joséphine s'était sentie en terrain familier.

Elle avait décroché facilement les deux emplois. Mis bout à bout, les deux revenus lui permettraient de vivre décemment.

C'était déjà ça de gagné. Cela suffisait, en attendant, car il ne faisait aucun doute pour mamzelle Joséphine qu'un jour elle pourrait retourner chez elle et reprendre sa profession là où elle l'avait laissée. Les tensions sociales et les attentats ne durent tout de même pas une éternité. Ce n'était qu'une question d'un peu de patience. L'impression ressentie quand elle avait vu son île se fondre dans la brume au moment de sa fuite s'estompa peu à peu.

Le soleil pâlot de septembre dans ce coin du Canada lui sembla même un peu plus chaud.

Elle rencontra enfin monsieur Aristide, le fils du gentil monsieur de la quincaillerie.

Monsieur Aristide n'était plus ce qu'on pourrait qualifier de jeune homme, ce qui surprit quelque peu mamzelle Joséphine, qui s'attendait à voir apparaître un jeune garçon, sans qu'elle pût dire d'où lui venait cette idée. Peut-être à cause du ton de voix que le vieux monsieur avait pris, un peu bourru mais affectueux, quand il avait parlé de son garçon et qui avait fait en sorte que mamzelle Joséphine s'attendait à voir quelqu'un en culottes courtes ! Peu importait ! Cachant sa surprise, et sans pouvoir lui donner d'âge précis, mamzelle Joséphine ouvrit donc la porte de son logement, un certain lundi soir, à un homme franchement quelconque, à la peau chocolat au lait mais pas très corsé en chocolat, aux mains larges comme des battoirs à linge, ce qui contrastait curieusement avec une constitution plutôt malingre, nerveuse et délicate.

Un sourire immense éclairait un visage incontestablement médiocre et donnait une chaleur appréciable aux traits irréguliers de cette tête étonnante : perchée sur un cou gracile, une grosse poire aux cheveux poivre et sel, raides comme des bâtons de tambour, ce qui déjà était une extravagance, portait un peu haut perchés deux yeux en amande, couleur de nuit, qui, à leur tour, surmontaient des pommettes saillantes comme on le voit chez les autochtones de certaines îles. Le nez épaté, cela va de soi, était posé un peu de travers, comme par accident, et ombrageait des lèvres charnues qui s'entêtaient à sourire. À lui seul, monsieur Aristide était la preuve du contraire de cette croyance populaire qui dit que le métissage donne les plus beaux visages.

Curieusement, mamzelle Joséphine le trouva beau et recula d'un pas pour le laisser entrer.

À défaut d'une apparence agréable, il s'avéra que monsieur Aristide avait une tête bien faite : d'un commerce affable, la répartie facile, le jugement sûr et l'humour abondant, il fit le tour de l'appartement, prit des notes, griffonna quelques schémas, ajouta des mesures, posa les questions d'usage et repartit comme il était venu, en souriant.

— Donnez-moi quelques jours et je vous reviens avec un projet de rénovation qui vous enchantera.

— C'est que je n'ai pas beaucoup de sous, précisa une mamzelle Joséphine séduite par l'ardeur du bonhomme mais inquiète de voir tant de zèle chez un monsieur Aristide que, au demeurant, elle ne connaissait pas du tout. Je ne pourrai pas inves...

— J'ai des contacts, interrompit aussitôt monsieur Aristide, balayant l'objection d'un coup de crayon avant de le caler contre une oreille faite exprès pour cela. Et promis, vous aurez des devis précis. De votre côté, vérifiez auprès du propriétaire s'il accepte que vous fassiez des travaux.

Les propriétaires, c'est bien connu, sont toujours pingres. Celui de mamzelle Joséphine n'échappait pas à la règle. Cachant bien son jeu, il fronça les sourcils, fit une grimace qui pouvait dire non, tergiversa par principe, amena quelques objections facilement contestables, posa des conditions tout à fait acceptables et, finalement, consentit du bout des lèvres.

— Mais je veux voir les plans avant !

En réalité, il était aux petits oiseaux : il calculait déjà les profits éventuels d'une vente avantageuse pour un réduit rebaptisé condo.

Les travaux commencèrent dès la semaine suivante.

Par souci d'économie, monsieur Aristide proposa ses services, son sourire faisant office d'ambassadeur à la moindre proposition.

— C'est mon passe-temps de rénover des appartements. C'est à moi que vous ferez plaisir en acceptant mon aide.

Mamzelle Joséphine eut à peine le temps de se dire que le monsieur avait un curieux passe-temps pour quelqu'un qui passait ses semaines à travailler dans la construction que déjà elle acceptait cette aide bénévole.

On s'entendit pour attaquer le chantier deux soirs la semaine, les mardis et jeudis, entre dix-huit et vingt-deux heures.

— Pas plus tard, je me lève aux aurores, précisa le souriant monsieur Aristide.

Au salon, entre un litre de peinture saumon et deux rouleaux de papier peint fleuri, on se découvrit un sens de l'humour commun : sarcastique et un brin méchant chez monsieur Aristide, débonnaire et fait de calembours chez mamzelle Joséphine.

À la chambre à coucher, en décloisonnant un garde-robe pour en faire un petit coin de lecture, on apprécia la musique en général et Chopin en particulier. Si mamzelle Joséphine avait appris ses gammes sur un piano, monsieur Aristide touchait du violon. On aimait bien Mozart aussi et il arrivait que l'on joue Beethoven.

C'est en arrivant à la cuisine, alors que l'on établissait l'échéancier pour démolir un coin d'armoires afin d'agrandir la salle de bain, que l'horaire établi fut bouleversé.

— Pas question d'éterniser les travaux, ce serait trop malcommode. On s'y met pendant la fin de semaine pour en finir au plus vite. Deux bonnes journées d'ouvrage devraient suffire. Ne restera qu'à changer l'évier et les portes d'armoire avant de tout repeindre, estima monsieur Aristide en consultant ses papiers.

L'invitation suivit tout de go, accompagnée de son inimitable sourire.

— Et comme il s'agit d'un chantier envahissant, je vous propose de manger chez moi, samedi soir. Je vais vous concocter un petit souper à ma façon.

Prise au dépourvu, mamzelle Joséphine sentit le rouge lui monter aux joues. Heureusement, sous sa peau d'ébène, la rougeur ne se voyait pas, mais elle ne put réprimer totalement le léger tremblement qui s'empara de ses mains. C'est qu'elle était toujours aussi gourmande et qu'elle trouvait monsieur Aristide de plus en plus beau. Depuis quelque temps, elle avait constaté que ce nez de travers avait un charme certain. Vous ne trouvez pas?

Et, grands dieux, se pouvait-il qu'en plus monsieur Aristide fût une fine fourchette?

Entre-temps, les nouvelles venues de son pays se voulaient encourageantes. Soutenus par tous ceux qu'ils avaient aidés au fil des années, le docteur Gentil et son épouse avaient échappé au lynchage. La résidence n'avait malheureusement pas été épargnée, mais ses parents étaient sains et saufs. Ils avaient trouvé refuge à la mission du village voisin et continuaient à exercer leurs métiers. Cette mention provoqua un moment de tristesse chez mamzelle Joséphine : elle s'ennuyait de pratiquer sa profession, elle aussi. Mais le fait de savoir ses parents hors de danger la réconforta.

Ce soir-là, mamzelle Joséphine s'endormit en pensant que le Canada était finalement un pays plutôt agréable.

Le samedi soir suivant, elle découvrit, avec un plaisir frémissant, que non seulement monsieur Aristide était une fine fourchette, mais aussi un cuisinier hors pair.

Il habitait tout près de chez elle, dans le même quartier, mais sur une avenue tellement différente de sa ruelle que mamzelle Joséphine eut l'impression d'arriver dans un autre pays.

L'automne était encore tout hésitant, les arbres immenses qui bordaient la rue encore verts et la brise, nostalgique, portait un je ne sais quoi d'été mêlé à une odeur plus subtile. Ici, sans aucun doute, il y avait dans l'air un parfum de maïs, de café, d'ail et d'épices accompagnant cette senteur d'été. Peut-être était-ce tout simplement l'odeur des fleurs en pots qui ornaient le balcon de pierres de monsieur Aristide, soutenue par les effluves qui s'échappaient de l'appartement voisin ? Mamzelle Joséphine ne se posa pas de questions, se contenta de fermer les yeux et respira profondément.

Chez monsieur Aristide, ça sentait son pays...

À quelques jours de là, de fil en aiguille, partageant des secrets personnels sur une recette de beignets sucrés au miel, ils en vinrent tout naturellement aux confidences. Mamzelle Joséphine raconta son bout du monde parfumé à l'azalée fleuri ou à l'hibiscus, selon les saisons, mais toujours soutenu de poisson frais ; monsieur Aristide parla de son enfance dans un tout autre quartier, plus au nord de la ville, et beaucoup plus dur. Ce nez de travers lui venait d'un combat de rue et ces larges mains d'un entraînement intensif à la boxe.

Mamzelle Joséphine n'en trouva monsieur Aristide que plus attachant à défaut d'être esthétique.

Monsieur Aristide lui parla aussi de sa mère, venue d'Hawaï au moment de la guerre et de son père, ancien lutteur resté ici lors d'un voyage de démonstration. Le vieux monsieur si gentil avait fait son argent dans les arènes et ce n'était que plus tard qu'il s'était porté acquéreur de la petite quincaillerie, réalisant ainsi un rêve de jeunesse. Mamzelle Joséphine ouvrit de grands yeux quand elle apprit que monsieur Aristide était ingénieur de formation.

— Hé oui ! J'ai fait l'université. Mais je suis comme papa et je préfère mettre la main à la pâte.

De plus en plus surprise, mamzelle Joséphine apprit du même souffle que s'il était contremaître, monsieur Aristide l'était dans sa propre entreprise de construction et rénovation en tous genres.

À son tour, mamzelle Joséphine parla de ses études, du refus de reconnaissance de son diplôme et de la tristesse qu'elle en ressentait. Elle parla aussi de ses parents et sa voix devint passionnée quand elle raconta les heures de bénévolat qu'elle faisait aux côtés de sa mère guérisseuse lorsqu'elle était enfant. Elle parlait de la pratique médicale avec une grande nostalgie dans la voix.

— Les plus beaux moments de ma vie !

Ce fut par un petit matin d'hiver qui givrait les carreaux de sa fenêtre de cuisine que mamzelle Joséphine apprit à ses parents, dans une longue lettre, qu'elle allait se marier.

« Le Canada est un pays charmant, vous savez, bien qu'un peu froid. Et monsieur Aristide vous plairait sûrement ! »

D'un commun accord, les tourtereaux attendirent au printemps pour convoler en justes noces et décidèrent d'installer leur nid chez monsieur Aristide. Son appartement était beaucoup plus vaste, mieux éclairé et il sentait les îles, même en hiver.

Le propriétaire de mamzelle Joséphine grogna par principe quand elle lui annonça qu'elle quittait avant la fin du bail. Il leva les bras au ciel, disserta sur ces locataires qui ne respectaient jamais rien et promena même un index rancunier sous le nez de mamzelle Joséphine. Mais il jubilait à un tel point, intérieurement, hésitant entre une location lucrative ou une vente à profit que, bon prince, il offrit finalement, en guise de cadeau de mariage, les deux mois de loyer qui restaient à honorer. C'est que maintenant, l'appartement de mamzelle Joséphine avait vraiment fière allure !

Mamzelle Joséphine se maria en grandes pompes, dans une robe fleurie et vaporeuse, à un monsieur Aristide qui, ma foi, avait belle prestance dans son habit à queue !

Et ils s'installèrent sans plus tarder dans l'appartement qui sentait si bon. Monsieur Aristide n'eut qu'une seule restriction concernant mamzelle Joséphine quand vint le temps de reprendre le cours normal des journées, après quelques jours de détente en amoureux.

— De grâce ! Oublie les ménages. Je suis à même de faire vivre honorablement mon épouse.

— Là n'est pas le problème, Aristide. Je te connais suffisamment pour savoir que je ne manquerai de rien. Mais que vais-je faire de mes journées ?

— Fais confiance, belle Joséphine. La vie saura te faire signe.

Et encore une fois, la vie lui fit signe. À l'épicerie, au comptoir des fruits et légumes. Un signe très direct, enrobé d'une senteur d'ananas et de mangue. À trois pas, une gamine reniflait et toussait à tirer les larmes. La mère, découragée, prit mamzelle Joséphine à témoin.

— Trois nuits, madame, que je ne dors plus ! Deux sirops différents que nous essayons et rien n'y fait ! Le médecin parle d'un virus que le temps finira par vaincre. Mais moi, je suis épuisée ! Et ma petite ! Regardez-la, elle fait pitié à voir !

À peine quelques mots et mamzelle Joséphine eut l'impression de remonter dans le temps. Elle était redevenue gamine, assise sur une caisse de bois, au marché du village voisin, et c'est la voix de sa mère qu'elle entendit quand elle proposa à la mère éplorée :

— Deux gouttes d'huile d'eucalyptus et trois de lavande dans un bain chaud, pour les vapeurs, deux fois par jour. Vous allez voir, c'est souverain pour la toux et les reniflements.

Dans le pays de mamzelle Joséphine, on attribuait autant de vertus aux médecines douces qu'aux ordonnances des médecins.

La mère leva un sourcil sceptique. Mais comme les médecines douces étaient, ici aussi, un sujet de plus en plus à la mode et qu'elle n'avait rien à y perdre, dès les courses à l'épicerie terminées, elle se précipita à la pharmacie du coin pour se procurer les huiles en question. Trois jours plus tard, la dame, ravie, se confondait en remerciements devant une mamzelle Joséphine toute souriante. Cette fois, elles étaient au comptoir des poissons frais. La jeune mère remorquait derrière elle une fillette vive et turbulente. Les rougeurs sous son nez étaient pratiquement disparues.

Et petit à petit, la réputation de mamzelle Joséphine fit boule de neige. Pour d'aucuns, elle était guérisseuse, pour d'autres, elle était une adepte du vaudou. Comment voulez-vous, autrement, que des choses aussi simples que des herbes pussent guérir et que des manipulations de ses longs doigts arrivent à vous soulager ?

Et les années passèrent. Les médecines alternatives ayant fait leur preuve, la clientèle de mamzelle Joséphine ne cessait de croître. Elle donnait ses consultations sur le bout de la table de sa cuisine devant un thé au jasmin et même au café voisin où elle avait pris l'habitude de se rendre pour attendre Aristide, en fin d'après-midi, en sirotant un punch au rhum. Chacun avait un conseil à demander, un problème à résoudre. Même Irène l'écervelée et Irma la pimbêche venaient à l'occasion lui confier leurs interrogations. Cela faisait du meilleur genre que de dire que mamzelle Joséphine vous connaissait. Et quand Aristide arrivait au café et voyait sa bien-aimée en pleine consultation, son large sourire s'étirait encore un peu plus. Il savait sa femme à la hauteur de la situation.

Et chaque matin au réveil, mamzelle Joséphine avait une pensée affectueuse pour son père qui, une certaine nuit, avait eu la très bonne idée de l'éloigner pour un temps.

Bien sûr, l'insurrection dans son pays était aujourd'hui chose du passé. Malgré cela, comme elle l'avait si bien dit à ses parents lors d'un voyage pour leur présenter Aristide, mamzelle Joséphine n'avait nullement l'intention de revenir chez elle.

— Qui prend mari prend pays. Et je suis pleinement satisfaite de la vie que je mène. Ce serait à vous de venir nous visiter.

Son père avait ouvert de larges yeux.

— Moi, dans un pays de neige ?

— Mais il y a aussi un été à Montréal, papa. Aussi beau et chaud qu'ici.

Le sourire que lui renvoya le docteur Gentil avait tout d'une moue dubitative. Allons donc ! Un été au Canada ?

Mamzelle Joséphine et monsieur Aristide prirent donc l'habitude de venir réchauffer le long mois de janvier à la résidence du docteur Gentil et de son épouse. Une résidence plus modeste que celle de l'enfance de mamzelle Joséphine, les temps avaient bien changé dans son pays, mais la brise sentait toujours l'azalée, et on avait compris que les serviteurs n'étaient pas une composante obligatoire du bonheur.

Et quand elle rentrait chez elle, au Canada, mamzelle Joséphine devait prendre les bouchées doubles tant son absence s'était fait sentir, en ce mois de grippe à Montréal. Elle multipliait ses recommandations, acceptait de nombreux rendez-vous et se présentait assidûment au café voisin.

Comme elle ne parlait que de plantes et autres médicaments sans ordonnance, comme ses longs doigts avaient une pudeur toute professionnelle, ses interventions étaient tolérées sans autre forme de procès. On chuchotait que même le jeune docteur Gingras était allé la consulter. Et peut-être aussi le pharmacien. Mais allez donc le vérifier! Néanmoins, les ragots ajoutaient de la crédibilité à l'efficacité des médecines de mamzelle Joséphine.

Jusqu'au jour où...

C'était une froide soirée de février. Assis l'un contre l'autre, mamzelle Joséphine et monsieur Aristide sirotaient un cocktail avant d'entrer chez eux pour passer à table : un navarin d'agneau les attendait en mijotant. Ils en étaient à comparer les vertus respectives de l'ananas ou du fruit de la passion mélangés au rhum quand une clameur interrompit les conversations dans le café, bondé à cette heure de la journée.

— Mon Dieu, faites quelque chose quelqu'un, il va mourir!

Par instinct, mamzelle Joséphine était déjà debout et, promenant sa forte corpulence entre les tables avec une agilité surprenante, elle se retrouva rapidement auprès d'un jeune homme qui se tenait la gorge à deux mains en lançant des œillades terrifiées. Le temps de jeter un dernier regard de panique vers mamzelle Joséphine et l'homme s'effondrait sur le sol : il n'arrivait plus à respirer, un morceau de viande ayant obstrué sa trachée. Pas besoin de réfléchir pour évaluer la situation et déterminer l'intervention, ses études revinrent aussitôt à l'esprit de mamzelle Joséphine qui se pencha sur le pauvre homme. Tant pis si son diplôme n'avait jamais été reconnu ici, la situation exigeait une intervention rapide. Levant la main, elle lança d'une voix autoritaire que personne ne lui connaissait :

— Quelqu'un pour m'aider à le soulever… Et peut-être aussi un couteau, au cas où…

Un murmure horrifié s'éleva de la clientèle attroupée autour de mamzelle Joséphine et du jeune homme qui commençait à cyanoser. Le mot couteau avait frappé les esprits.

— Quand je vous disais qu'elle était une adepte des messes noires !

— Cette femme est folle et dangereuse !

— Ne faites pas ce qu'elle demande. C'est là que cet homme va mourir. Un couteau ! Quelle abomination !

Étrangère à ce qui se passait autour d'elle, comprenant rapidement qu'aucune aide ne lui viendrait de cette foule paralysée par la peur, mamzelle Joséphine fit appel à sa forte corpulence et souleva le jeune homme toute seule en le tenant sous les bras. D'un même élan, elle rétablit son équilibre en écartant les jambes. Monsieur Aristide qui savait sa femme à la hauteur de la situation tenait en mains le couteau demandé. Mais il le déposa aussitôt sur une table. À titre de contremaître de chantier, monsieur Aristide connaissait certains rudiments de premiers soins et il comprit aussitôt ce que sa femme tentait de faire. La manœuvre de Heimlich pouvait s'avérer efficace. Se faufilant dans la foule, il arriva à la hauteur de sa femme en lançant :

— Mais qu'est-ce que c'est que ces remarques ? Ma femme sait ce qu'elle fait.

Petit mais fort, il aida alors mamzelle Joséphine à soutenir le jeune homme tandis que son épouse plaçait ses mains sous la cage thoracique du pauvre garçon au visage révulsé. Raffermissant sa position, mamzelle Joséphine effectua une forte pression vers le haut. Après quelques poussées, toussant et crachant, le jeune homme expulsa une énorme bouchée de bœuf tandis qu'on entendait siffler l'air jusqu'à ses poumons. Épuisé, le jeune homme tomba à genoux, toussant toujours à perdre haleine. Puis, dans un douloureux haut-le-cœur, il remit tout son repas.

Il y eut un murmure dans la foule alors que les âmes sensibles se cachaient les yeux pour ne rien voir du dégoûtant spectacle. Une violente odeur envahit la pièce. Seul monsieur Aristide avait son éternel sourire. Et dans les circonstances, il ne put s'empêcher d'ajouter d'une voix très fière en bombant le torse :

— Ma femme était chirurgien dans son pays. Mais les préposés à l'immigration n'ont jamais voulu reconnaître son diplôme.

Un autre murmure courut dans la foule.

— Et alors, vous ne me croyez pas ? Faites le 911 et vous verrez bien que les préposés d'Urgence-santé vous confirmeront qu'elle a agi en bon médecin !

Le pharmacien qui assistait à l'événement eut alors un sourire. Il savait que la mère de mamzelle Joséphine était guérisseuse, mais il ignorait que ladite demoiselle était médecin. Voilà donc pourquoi les médecines de mamzelle Joséphine s'avéraient aussi efficaces.

Ce fut la dernière fois qu'il l'appela mamzelle Joséphine.

À l'instar des gens du quartier, dorénavant il la nomma Dame Joséphine. Avec respect.

Madame Gaston

Ils s'étaient connus alors qu'elle n'était encore qu'une toute jeune femme. Elle commençait à peine dans le métier.

Lui, cependant, avait déjà longuement roulé sa bosse et connaissait une notoriété certaine, ce qui ajoutait au charme de ses cheveux poivre et sel.

Elle s'appelait Nicole, n'était encore qu'une recherchiste et se tenait derrière les caméras.

Il s'appelait Gaston, était un journaliste de belle réputation et se tenait devant les caméras.

La télévision était un tout nouveau moyen d'expression, le siècle commençant à peine sa seconde moitié.

Elle ne savait de la vie et des hommes que le peu qu'elle avait glané ici et là dans les livres. Elle rêvait surtout d'être journaliste. Mademoiselle Nicole avait longuement étudié, comprenait qu'elle empruntait un chemin difficile pour une femme, mais elle était une passionnée et elle y croyait vraiment. Tout comme elle se disait qu'un jour, en plus de tout le reste, elle finirait par avoir une famille.

Il avait une longue expérience des femmes et de la vie et il avait réalisé la plupart de ses rêves. Monsieur Gaston avait appris son métier dans le feu de l'action, chez lui, en France, pendant la guerre. Il avait déjà été un passionné ; aujourd'hui, il était plutôt désabusé. Il ne savait plus s'il croyait encore à quelque chose. Quant à la famille…

La première fois qu'ils s'étaient rencontrés, c'était devant un café à l'occasion d'une entrevue préparatoire à l'émission qui suivrait dans une heure. On avait invité monsieur Gaston, qui était une référence à titre de correspondant, à une table ronde sur l'évolution du métier de journaliste maintenant que les caméras amenaient le monde entier jusque dans les salons.

Intimidée, mademoiselle Nicole buvait ses paroles en même temps que son café, se surprenait à l'envier, se reprenait, tentait de bien faire son métier, posait des questions pertinentes, prenait des notes, apportait les précisions qu'on lui avait demandé de faire, n'osait donner les recommandations d'usage. Elle se disait que pour un vieux routier comme lui, elles auraient été superflues. Elle aimait les hommes qui étaient sûrs d'eux, avait tendance à s'en remettre à leur jugement, et monsieur Gaston faisait preuve d'une assurance frisant la prétention.

Amusé, monsieur Gaston la regardait se prendre au sérieux, remarquait la rougeur qui maquillait ses pommettes, prenait note du ton qui se voulait professionnel, s'intéressait à la justesse de ses propos, appréciait ses réparties judicieuses. Il se disait qu'elle avait de fortes chances de faire sa marque dans le métier, elle savait aller au cœur des sujets et cernait l'essentiel. Il aimait les femmes intelligentes, et mademoiselle Nicole faisait preuve d'une vivacité d'esprit qui lui plaisait grandement.

Il repartit pour la France en se disant qu'il aimerait peut-être la revoir dans d'autres circonstances.

Il pensa à elle pendant quelques semaines. Puis monsieur Gaston oublia la jeune recherchiste du Canada. Il avait bien d'autres chats à fouetter.

Elle le regarda partir pour la France en se disant qu'elle espérait le revoir dans d'autres circonstances.

Elle pensa à lui pendant de longs mois, l'oublia à moitié puis repensa à lui plus clairement quand son visage apparut à la télévision. Il annonçait qu'il s'en venait à Montréal pour donner un séminaire sur le journalisme. Sa façon de fixer la caméra en souriant fit que mademoiselle Nicole eut le sentiment qu'il s'adressait directement à elle.

Cet homme était vraiment un professionnel, elle aurait tout à gagner à suivre ses cours.

Le cœur de mademoiselle Nicole eut alors un drôle de soubresaut. Sans réfléchir, elle s'inscrivit au séminaire et se mit à compter les jours.

Mais, dans la vie, à cette époque comme aujourd'hui, il arrive parfois que les choses n'aillent pas exactement dans le sens espéré.

Ce fut précisément cette semaine-là que le patron de mademoiselle Nicole, satisfait du rendement de sa jeune recherchiste, décida de lui donner sa chance. Une importante conférence se tenait à Washington, et la direction voulait avoir quelqu'un sur place pour des comptes rendus journaliers.

Cela aurait pu arriver une semaine plus tôt ou un mois plus tard et aurait accommodé mademoiselle Nicole. Mais non, il fallait que cette importante conférence se tînt exactement la même semaine que le séminaire de monsieur Gaston.

Ainsi va la vie !

À des lieux de toutes ces considérations terre-à-terre, le patron de mademoiselle Nicole la fit venir à son bureau. Accepterait-elle de partir pour Washington ?

Le côté professionnel de mademoiselle Nicole se réjouit aussitôt. Enfin, elle allait pouvoir faire ses preuves !

Le côté émotif de la jeune femme, fort peu sollicité depuis toujours, fit une moue de déception.

Mais les retombées immédiates des projets étant nettement plus prévisibles dans un sens que dans l'autre, l'hésitation de mademoiselle Nicole fut de courte durée. À peine en eut-elle conscience.

— Quand est-ce que je pars ?

Elle en oublia même d'annuler son inscription au séminaire de monsieur Gaston. Le monde s'ouvrait enfin à elle, mademoiselle Nicole était à la fois tout excitée et très émue.

Monsieur Gaston, ayant comme par hasard repensé à la jeune recherchiste dans l'avion qui l'amenait au Canada, eut un drôle de sourire quand il remarqua le nom de mademoiselle Nicole sur la liste des élèves inscrits à son cours qu'on lui remit dès son arrivée. Surpris, il fit une petite grimace quand il nota son absence au premier cours. Agacé, il poussa un soupir quand cette absence se répéta le lendemain et contrarié, il fut de très mauvaise humeur quand il comprit que la jolie et intelligente dame ne se présenterait pas à son séminaire.

Il semblait évident que mademoiselle Nicole brillerait par son absence tout au long de la semaine. Monsieur Gaston ouvrit de grands yeux, fit la moue, soupira et se surprit lui-même quand il prit la peine de se demander le pourquoi de la chose, une nette déception donnant un sens imprévu à son interrogation.

Sa curiosité débordait largement la simple politesse, il devait en convenir.

La semaine lui parut donc un brin trop longue, le séminaire un tantinet moins intéressant que prévu et la chambre d'hôtel assurément moins confortable qu'il ne l'avait espéré.

Quand mademoiselle Nicole revint à son travail, le lundi suivant, une note, laissée à la réception, lui tira un sourire et quelques battements de cœur désordonnés. Écrite sur un ton badin, la courte missive expliquait qu'elle avait été espérée, attendue et pleurée !

Monsieur Gaston l'avait donc remarquée !

Le billet se terminait en disant l'espoir de se revoir dans un avenir prochain.

Mademoiselle Nicole hésita entre une réponse immédiate, envoyée au travail de monsieur Gaston car c'était là le seul endroit où elle pourrait le joindre, et le silence d'une gêne qu'elle ne comprenait pas tout à fait.

La gêne l'emporta, ne sachant trop quel ton donner à un billet qu'elle voulait léger sans tomber dans l'intimité, tout en étant amical. Elle se contenta alors de s'en remettre au destin. C'était là la façon de faire habituelle de mademoiselle Nicole, la seule qu'elle connût en matière amoureuse et celle qu'elle utilisait régulièrement, faute de mieux, en matière professionnelle. Elle préférait se dire qu'elle s'en remettait au destin plutôt qu'à une tierce personne, cela flattait son *ego* et semblait rassurant parce qu'on peut, avec un brin d'imagination et un peu de bonne volonté, forcer la main du destin. Alors que les autres…

Entre-temps, elle apprit que son patron était fort satisfait de ses reportages et que si elle reprenait ses fonctions de recherchiste, ce n'était que pour un moment qu'ils souhaitaient le plus bref possible. La direction cherchait l'occasion de mettre ses talents au service du public.

Mademoiselle Nicole oublia aussitôt qu'en France, ou ailleurs dans le monde, sait-on jamais, il y avait un certain journaliste prénommé Gaston. Elle avait été remarquée, son travail avait été apprécié et c'était là amplement suffisant pour faire son bonheur. Elle mit donc toute sa conviction et sa ferveur à être recherchiste comme d'autres ont la vocation religieuse. Elle serait à la hauteur des attentes immédiates en attendant d'être à la hauteur de son talent. Ce n'était qu'une question de temps, ou de possibilité, ou de circonstances, ou... Peu importait, l'occasion se présenterait sûrement, la direction le lui avait assuré et le destin y veillerait.

Et les mois passèrent, et les saisons aussi, et certaines occasions, et de nouvelles ouvertures et...

Mademoiselle Nicole ne comprenait pas.

Malheureusement, ce qu'elle ne savait pas, c'est qu'en faisant fort bien son travail de recherchiste, trop bien peut-être, elle avait fait surgir des hésitations. La direction du service des nouvelles, comme toutes les directions d'ailleurs, avait la fâcheuse manie d'aller dans tous les sens et de tirer profit de toutes les occasions. De la promesse d'en faire une journaliste à la conviction qu'elle serait difficilement remplaçable comme recherchiste, il n'y eut qu'un pas, qu'un tout petit pas à franchir. D'autant plus qu'il y avait de plus en plus d'excellents candidats qui sortaient des universités, le métier de journaliste étant devenu à la mode, et que ces candidats, dans la majorité des cas, ne demanderaient, eux, de toute évidence, ni congé de maternité parce que c'était dans la normalité des choses qu'une femme eût des enfants, ni congé de maladie parce que la varicelle aurait envahi les écoles, ni congé exceptionnel parce que la gardienne avait fait faux bond...

Il fallut que mademoiselle Nicole se fâchât tout rouge pour remettre les pendules à l'heure. Apprenant qu'un jeune nouveau partait pour la Corée, où les tensions ne cessaient de croître, elle entra dans les bureaux de la direction d'un pied ferme, se permit de rafraîchir les mémoires à propos de certaines promesses faites, réfuta les objections qui fusèrent spontanément en soupirant d'impatience, afficha même un souverain mépris quant à la nature des éventuels obstacles à sa carrière. Lui connaissait-on un mari, ou peut-être un quelconque fiancé, à la rigueur un petit ami? Non, n'est-ce pas? Pas le moindre soupirant officiel ni amant secret, et encore moins de mari infidèle rencontré à la sauvette.

En ce domaine, sa vie était une vraie misère, un désert aride.

Elle eut cependant la présence d'esprit de s'abstenir d'en faire mention devant son supérieur. Ses états d'âme ne le concernaient pas, et l'image de son détachement à ce sujet pouvait servir. Seul son oreiller avait droit à ses confidences: elle avait la conviction profonde de pouvoir mener à bien carrière et vie familiale. Au besoin, mademoiselle Nicole serait pionnière dans le domaine et épaterait la galerie. Mais rien au monde ne l'empêcherait d'être journaliste et mère.

À quelques semaines de là, la direction, après mûre réflexion et quelques tergiversations, décida de l'envoyer à Paris pour un reportage spécial. Avoir une femme à titre de journaliste ne pourrait qu'être favorable à l'image et aux cotes d'écoute, un récent sondage faisant état de la fidélité du genre féminin devant le petit écran.

Et ce fut là, dans un petit bistro, que les chemins de mademoiselle Nicole et de monsieur Gaston se croisèrent pour la deuxième fois.

Cette deuxième rencontre allait être décisive. Mademoiselle Nicole la voyait même comme un signe du destin. D'abord ce reportage qui s'annonçait fort intéressant, puis maintenant cette rencontre. Sa vie prenait d'un seul coup la tournure désirée, à travers quelques battements de cœur désordonnés.

Ils parlèrent métier en sirotant un ballon de rouge, surpris de se croiser dans une ville aussi vaste que Paris. Ils se découvrirent mille et une affinités sur tous les sujets et discutèrent avec passion des quelques discordances existant entre eux. Puis monsieur Gaston lui offrit d'être son cicérone et de la guider à la découverte de la Ville lumière.

Ils partagèrent plusieurs repas dans de minuscules cafés un peu obscurs, firent de nombreuses balades à travers les rues pittoresques du côté caché de la ville, visitèrent des musés bondés surtout de touristes et assistèrent à quelques spectacles dans les petites salles anonymes qui faisaient place aux talents locaux.

Ils s'entendirent si bien, isolés qu'ils étaient dans cette espèce de coquille que monsieur Gaston savait si bien édifier autour d'eux, ils partageaient si bien à deux leur quotidien, qu'à la veille du départ de mademoiselle Nicole, monsieur Gaston en vint même à partager son lit, un pas facile à franchir qu'il effectua d'un saut, tout guilleret.

La candeur de mademoiselle Nicole lui fut à la fois douce et excitante. Et si quelqu'un avait été témoin de leurs ébats amoureux, il aurait pu, sans hésiter, affirmer que monsieur Gaston était égal à lui-même et passé maître dans l'art du badinage.

Quand mademoiselle Nicole prit l'avion pour rentrer au pays, elle avait les mains tremblantes et le cœur palpitant. Elle se voyait déjà, correspondante reconnue, parcourant le monde aux côtés de son illustre mari. Ensemble ils feraient une équipe du tonnerre.

Quand monsieur Gaston lui fit ses adieux à l'hôtel, car il n'avait pas le temps de la reconduire à l'aéroport, il avait lui aussi les mains tremblantes mais l'esprit soulagé. Tout s'était bien passé et il se voyait déjà, dans un quelconque appartement, partageant ses vues sur le métier avec une femme qui, enfin, serait intéressée par ses propos. Ensemble ils sauraient se stimuler.

Monsieur Gaston revint au Canada au début du semestre suivant, toujours pour un séminaire, le premier ayant été fort apprécié. Après deux nuits enfiévrées à l'hôtel, et sans avoir besoin d'en parler vraiment, il déménagea ses pénates dans le petit appartement de mademoiselle Nicole, se réserva quelques cintres dans le garde-robe de la chambre, demanda l'usage d'un tiroir puis déposa une brosse à dents neuve et un rasoir bon marché dans la pharmacie. Avant de, quelques jours plus tard, à la faveur d'une fin de semaine en campagne, déménager le tout dans une grande maison de bois blanc ornée de vert dont mademoiselle Nicole avait hérité au décès de ses parents. Le temps de faire le tour du petit domaine d'un pas de propriétaire et il décréta qu'il passerait bien le reste de ses jours dans un coin aussi joli, boisés de feuillus, rivière en cascades et sentiers sinueux offrant une détente assurée. En plus de la présence de mademoiselle Nicole, bien entendu, demoiselle qu'il dévorait des yeux chaque fois qu'il la retrouvait.

Sans crier gare, monsieur Gaston venait d'envahir la vie de mademoiselle Nicole en même temps que ses armoires.

Le cœur de mademoiselle Nicole se mit à battre de façon désordonnée. Elle ne l'avait pas rêvé : sa vie prenait le cours qu'elle avait toujours voulu lui donner.

Et une drôle de routine s'installa dans la vie de mademoiselle Nicole, monsieur Gaston débarquant dans sa vie à l'improviste, entre deux reportages et trois conférences, quelques jours à la fois, son métier exigeant de lui plus que ne le ferait une maîtresse, avait-il expliqué en l'embrassant. Mademoiselle Nicole accepta la chose avec une petite grimace, un peu déçue, ayant l'impression de ramasser des miettes, mais qu'y pouvait-elle, son homme avait une carrière envahissante, elle le savait au départ et elle n'avait qu'à s'en accommoder. Ou peut-être changer d'homme, ce qu'elle se refusait à faire, se rappelant, avec un désagréable arrière-goût d'amertume, l'époque désertique de sa vie amoureuse. Mieux valait un Sahara agrémenté d'oasis qu'une Vallée de la mort aride. Elle refusa donc de quitter Montréal pour un reportage en Asie, sachant que monsieur Gaston serait en ville pour son séminaire annuel, et un second, en Amérique du Sud, juste au cas où. Les patrons n'opposèrent aucune résistance, ne firent aucune pression. Mademoiselle Nicole en arriva même à se persuader que, finalement, à bien y penser, le métier de recherchiste lui convenait tout à fait, et même plus, que c'était là exactement ce qu'elle avait voulu. Pour l'instant du moins, en attendant l'occasion, la seule, l'unique, où, sans aucun doute, elle pourrait accompagner monsieur Gaston et faire preuve d'un tel talent que personne ne voudrait la voir redevenir recherchiste. C'est ce qu'elle se disait, mademoiselle Nicole, tous les jours, pour meubler le temps quand monsieur Gaston était absent. Malheureusement, ces considérations ne débordaient jamais son esprit, ne sachant ni quand ni comment présenter la chose à un monsieur Gaston qu'elle voyait plutôt rarement, qui arrivait toujours comme un cheveu sur la soupe, entre deux reportages, épuisé, et seulement pour quelques jours à la fois.

Et le temps passait, et mademoiselle Nicole était toujours recherchiste. Au grand bonheur de la direction du service des nouvelles, qui comprit rapidement qu'un problème était réglé et qu'ainsi seraient peut-être évitées des tensions inutiles. C'est bien connu, les directions d'entreprise préfèrent la stabilité. Et comme mademoiselle Nicole était la meilleure recherchiste qu'on eût pu trouver... Point sur lequel mademoiselle Nicole était bien d'accord avec ses patrons, en attendant, se disait-elle.

Tout semblait donc parfait dans le meilleur des mondes.

Et puis, monsieur Gaston était si gentil, si présent quand il était aux côtés de mademoiselle Nicole qu'il lui faisait oublier ce petit vague à l'âme qu'elle ressentait parfois le matin en poussant les portes de la chaîne de télévision où elle travaillait. Finalement, pour ne pas le bousculer, d'une visite à l'autre, elle remisait ses ambitions, se promettant d'y voir à la prochaine occasion.

Mais dès qu'elle trouvait dans sa boîte à lettres la petite enveloppe bleue à la lettre légèrement parfumée, légèrement poivrée, qui annonçait l'arrivée de son homme, mademoiselle Nicole se félicitait d'être chez elle et non à parcourir le monde. Aussitôt elle se précipitait à la maison de campagne pour la faire aérer et changer les draps du lit qu'elle étendait derrière la maison au grand soleil. Elle fermait alors les yeux sur cette odeur de lessive qui l'enivrait. Odeur de propre, souvenir d'enfance, celui des bulles de savon irisées qui montaient dans l'air d'une journée d'été. Parfum d'un bonheur aussi total qu'éphémère, celui d'une bulle plus grosse que les autres qui monte à la rencontre du soleil, portée par la brise, qui redescend, tourne sur elle-même, se pose sur une fleur, frémit un instant avant d'éclater. Il y avait de cela si longtemps, c'était l'époque des bonheurs faciles, tout simples mais combien réels. Aujourd'hui, mademoiselle Nicole étendait sa lessive en fermant les yeux, et l'odeur du savon était celle de son bonheur, de son amour, imparfait peut-être mais tout aussi réel. Et quand son homme arrivait, les bras chargés de présents venus des quatre coins du monde, quand il la prenait tout contre lui, répétant à l'infini qu'il l'aimait, mademoiselle Nicole oubliait même qu'un jour elle avait déjà voulu parcourir le monde. Les gens du patelin l'appelaient madame Gaston, et cela suffisait à la rendre heureuse. Oui, elle était bien madame Gaston quand elle se promenait au bras de son homme, tout comme elle était encore madame Gaston quand elle étendait dehors les beaux draps blancs de leur lit parce que son homme aimait l'odeur laissée par le grand air. Qu'importait si la plupart du temps on l'appelait encore et toujours mademoiselle Nicole, dans son cœur, elle était madame Gaston à longueur d'année...

Et quand elle parla mariage, quelques années plus tard, elle resta malgré tout madame Gaston quand son homme répliqua, ému :

— Crois-tu vraiment qu'un amour comme le nôtre a besoin d'un papier officiel pour exister ?

Et elle était encore une fois madame Gaston quand son homme expliqua d'une voix triste, parce qu'il était malheureux mais qu'il avait raison :

— Un enfant ? Tu aimerais avoir un enfant ? Ma chérie, moi aussi j'aimerais bien, mais comment faire avec un père qui ne serait là qu'à moitié ? Un enfant a besoin de ses deux parents, tu ne crois pas ?

Oui, elle croyait qu'un enfant avait besoin de ses deux parents, alors elle n'insista pas. Mais parce qu'elle avait besoin de sentir qu'elle était bien madame Gaston à part entière, elle sous-loua son petit appartement de la ville, ne pouvant attendre que le bail prît fin, on était à peine au mois d'août, et elle s'installa en permanence à la maison de campagne. Ici, elle était madame Gaston pour tout le monde et à temps plein, et elle pouvait faire sa lessive chaque fois qu'elle s'ennuyait un peu trop. Tant pis si elle s'éloignait de son travail et devait parcourir une longue route quotidiennement, les heures passées chez elle avaient plus de prix à ses yeux que celles passées au travail à faire de la recherche pour un peu tout le monde.

Et les années passèrent. Petit à petit, d'un cheveu à l'autre, insidieusement, les cheveux de mademoiselle Nicole devinrent poivre et sel à leur tour alors que monsieur Gaston affichait aujourd'hui une tête enneigée. Elle travaillait toujours comme recherchiste, et lui commença à parler de retraite.

— Dans quelque temps, ma chérie, les voyages seront derrière. Enfin, un peu de repos!

Mais curieusement, si le propos était joyeux et plein d'espoir, la voix de monsieur Gaston avait un petit quelque chose de nostalgique. Mademoiselle Nicole comprenait fort bien que pour un passionné comme lui, la fin de sa carrière devait être difficile à vivre. Elle n'en fut que plus tendre envers lui. Dans quelque temps, quand ils seraient ensemble plus souvent, elle saurait bien lui faire oublier cette nostalgie. Ils auraient des projets à deux, ils feraient des voyages différents mais passionnants, ils passeraient du temps ensemble à n'en savoir que faire.

Et vint enfin ce jour où, après un séjour d'à peine quarante-huit heures, il annonça, la voix étouffée par l'émotion:

— Dernier départ, ma chérie, dernier reportage au bout du monde. Tout cela sera bientôt derrière nous.

Mademoiselle Nicole aurait bien voulu lui dire qu'elle ne voyait pas ce dernier reportage comme une fin mais qu'au contraire, c'était là le début d'une vie nouvelle. Mais une curieuse pudeur, à moins que ce ne fût cette drôle de boule d'émotion dans la gorge, l'empêcha de prononcer tous ces mots fous que son cœur lui dictait. Comme elle n'avait jamais osé demander de l'accompagner, finalement...

Monsieur Gaston partit à l'aube alors que mademoiselle Nicole dormait encore.

Et les jours commencèrent à s'égrener lentement, comme toujours quand on espère quelque chose de beau et de bon.

Puis les jours devinrent des semaines, et mademoiselle Nicole se mit à faire la lessive plus souvent. Au village, on parlait d'elle en souriant. Madame Gaston était décidément une drôle de bonne femme.

D'une page de calendrier à une autre, les semaines se transformèrent en mois et la lessive se fit quotidiennement. Monsieur Gaston allait sûrement revenir bientôt et il trouverait une maison bien aérée et un lit sentant bon le grand air.

N'est-ce pas qu'il allait revenir?

Sa veste d'intérieur, en soie brute était toujours pendue au crochet derrière la porte de la chambre et ses chandails préférés, ceux en cachemire, attendaient sagement son retour dans un tiroir. C'était donc qu'il allait revenir.

Mais en attendant, où donc se cachait monsieur Gaston?

Et les ragots, comme tous les ragots du monde, débordèrent allègrement les limites du village pour venir s'entortiller autour des draps de madame Gaston. À moins que ce ne fût autour de la lessive de mademoiselle Nicole. On ne savait plus vraiment…

Et mademoiselle Nicole non plus ne savait plus vraiment. Que se passait-il? Pourquoi ce silence? Serait-il advenu une catastrophe, un malheur irrémédiable? Où s'adresser pour avoir de ses nouvelles? Qui donc, de par le vaste monde, pouvait lui dire ce qui était arrivé à son homme pour que l'absence et le silence perdurent à ce point?

Un bon matin, en buvant son café, elle s'aperçut, horrifiée, qu'après trente-cinq ans, elle ne savait rien de monsieur Gaston.

Triste bilan!

Avait-il une famille, des parents, des cousins?

Monsieur Gaston n'y avait jamais vraiment fait allusion. Que des propos vagues, quelques anecdotes sans importance, un ou deux souvenirs d'enfance anodins. Rien de compromettant permettant de le retracer.

Et d'abord, dans quel coin de France avait-il vécu?

Un pied-à-terre à Paris, elle le savait, profession oblige; une propriété dans le midi, héritage de longue date et peut-être aussi une résidence sur la côte. Bretagne ou Normandie? Monsieur Gaston n'avait jamais vraiment aimé parler de la France, et les précisions se faisaient toujours attendre. Pas de solution de ce côté.

Et pour qui travaillait-il encore?

Mademoiselle Nicole savait bien qu'il ne voyageait plus pour la télévision depuis de nombreuses années, mais elle ignorait pour qui il travaillait. Peut-être un quotidien, lui qui disait préférer l'écriture, ou encore à la pige, lui qui proclamait que les patrons n'étaient que des imbéciles. C'était si peu important, à l'époque, que mademoiselle Nicole n'avait rien demandé. Donc, aucune ouverture de ce côté-là.

Mademoiselle Nicole était atterrée.

Six mois après le départ de monsieur Gaston, mademoiselle Nicole s'étant rendue à l'évidence qu'il ne reviendrait probablement plus, sa frénésie de lessive ne suffit plus à calmer ses angoisses et elle se transforma en rage de ménage. Toute la maison y passa, en même temps qu'elle revoyait sa vie au grand complet, réservant la chambre à coucher pour la fin, quelques doux souvenirs se camouflant toujours entre les draps. Des détails, des insignifiances, des broutilles lui revenaient à l'esprit et prenaient aujourd'hui un sens qu'elle aurait préféré ne pas leur trouver.

Cet acharnement à se terrer en campagne, prétextant qu'il en avait assez de voir du monde; ces refus répétés devant les invitations de mademoiselle Nicole à célébrer quelque événement au restaurant, alléguant que la nourriture maison lui manquait tellement lors de ses nombreux déplacements; ces voyages amoureusement préparés, immanquablement remis à la dernière minute à cause de contrats imprévus qui venaient malencontreusement bousculer leur intimité...

Mademoiselle Nicole était bouleversée, se refusant toujours de penser au pire.

Mais qui donc était monsieur Gaston?

Elle trouva la lettre dans le fond d'un tiroir.

C'était une petite enveloppe bleue, comme celles qu'elle avait reçues tout au long de sa vie. Mais cette fois-ci, elle était adressée à monsieur Gaston lui-même, poste restante à Paris.

Mademoiselle Nicole hésita. Était-ce la discrétion ou la peur d'avoir très mal qui la retenait à ce point?

L'évidence lui sauta aux yeux. Monsieur Gaston, si discret, si secret, n'aurait jamais oublié un papier d'importance derrière lui. Cette lettre, même si elle était adressée à monsieur Gaston, lui était destinée.

Datée de quelques années déjà, signée du simple prénom de Madeleine, la courte missive demandait à monsieur Gaston de rentrer à la maison pour le quinze courant afin d'assister au concert donné à l'école, sa fille Marjorie ayant été choisie comme premier violon de l'orchestre...

Mademoiselle Nicole dut s'asseoir, ses jambes refusant de la porter un seul instant de plus.

Et cette colère qu'elle entretenait avec une passion toute légitime depuis quelque temps se transforma aussitôt en un deuil immense et irréversible.

Le deuil d'une vie qui aurait pu être si riche, si intense, si pleine. Le deuil de la vie d'une journaliste de talent, d'une femme de cœur qui avait tant à donner, d'une mère qui pleurait l'enfant qu'elle n'aurait jamais.

Aujourd'hui, mademoiselle Nicole savait qui était monsieur Gaston. C'était un lâche. Et un profiteur, comme le sont souvent les lâches.

C'était surtout un homme marié, infidèle et instable, puisqu'il avait partagé sa vie entre une épouse légitime et une maîtresse cachée. Quel horrible mot!

Mais aux yeux de mademoiselle Nicole, il y avait pire.

Monsieur Gaston était surtout un père indifférent et indigne, puisqu'il n'avait jamais succombé à se laisser aller à parler de sa fille.

Mademoiselle Nicole aurait compris sa confession.

Alors, il n'y aurait pas de larmes versées sur monsieur Gaston, il ne les méritait pas.

Par contre, avec soixante ans de retard, elle allait enfin faire un pied de nez au destin et prendre sa vie en mains.

Elle donna sa démission dès le lendemain et soupira de soulagement quand cela fut fait : trente-cinq ans de recherches pour les autres, ce n'était pas rien! Puis elle se présenta à l'hôtel de ville de son village, argumenta, joua du charme qui lui restait, usa de l'autorité que ses cheveux gris lui conféraient et obtint ce qu'elle voulait.

Dorénavant, mademoiselle Nicole allait pouvoir faire toute la lessive voulue sans qu'on y trouvât matière à moquerie…

Trois jours plus tard, devant la maison blanche, garnie de vert, un écriteau annonçait : *Chez Mademoiselle Nicole, chambre à louer pour touristes.*

C'était vraiment un bel écriteau, en bois blanc, liseré de vert et aux lettres dorées. Mademoiselle Nicole recula pour juger de l'effet, mais aussitôt un pli soucieux barra son front.

Cela n'allait pas. Il manquait quelque chose.

Elle resta ainsi, immobile, la mine sombre, un très long moment.

Puis un sourire mauvais changea sa physionomie. Elle venait de trouver.

Le lendemain, posé de guingois sous le beau panneau blanc, une pancarte indiquait, en lettres moulées : Français, s'abstenir.

Encore une fois, mademoiselle Nicole se recula pour admirer l'ensemble. Un large sourire éclaira ses traits.

Maintenant, c'était complet !

Et de ce jour, au village, plus personne, jamais, ne l'appela madame Gaston ni ne parla de lui, et les beaux draps blancs de fine baptiste purent battre au vent en toute impunité. Leur claquement régulier, presque quotidien, à l'arrière de la maison, proclamait fièrement la prospérité de la petite entreprise de mademoiselle Nicole.

André ou Andrée

Le prénom avait été choisi longtemps avant la naissance.

— Ce sera André.

Ils étaient au salon et Muriel, habitée d'un élan tout maternel bien qu'un peu inattendu, feuilletait une revue de tricot d'une main distraite, elle qui n'avait jamais tricoté.

À la formulation catégorique de ce prénom, les sourcils de Roger s'étaient soulevés d'un bon demi-pouce et, toute lecture cessante, il avait rabattu le coin droit du quotidien qu'il consultait religieusement tous les jours avant le souper pour envisager sa femme d'un œil réprobateur.

— André? Quelle drôle d'idée! avait-il souligné avec une légère mais évidente pointe de maussaderie dans la voix.

En effet, Roger détestait ces prénoms indéfinis.

— Et si c'est une fille? avait-il alors demandé dans la foulée de sa première question. André, si on ne le voit pas en toutes lettres, ça n'annonce rien de bien précis.

Sur ce, espérant clore le débat avant qu'il n'ait commencé, Roger avait ajouté en montant le ton et en secouant les pages du journal pour les défriper:

— André, franchement! Ça ne fait ni masculin ni féminin. C'est un peu ridicule.

Muriel avait esquissé une moue indécise pour la forme,

admettant par cette mimique que Roger n'avait pas tout à fait tort. Par contre, elle détestait être contredite, et ce prénom avait été justement choisi en fonction de son imprécision. Alors…

Muriel avait bruyamment inspiré. Même si l'argument de son mari tenait la route, la future mère s'était entêtée et elle avait haussé les épaules avant de rétorquer, tout en replongeant vivement le nez dans sa revue :

— Si c'est une fille, ça sera alors Andrée. Avec un «e», avait-elle précisé avec une indéniable autorité dans la voix. Tu sais comme je déteste les imprévus, les surprises, les incertitudes en tous genres, n'est-ce pas? Déjà que le fait de ne pas savoir si ça sera un garçon ou une fille m'angoisse, on n'y ajoutera pas une valse-hésitation inutile quant au prénom d'un bébé que je ne connais ni d'Ève ni d'Adam. Alors, ce sera André «é» ou Andrée «e». Dans un cas comme dans l'autre, le prénom sera trouvé et on pourra passer à autre chose. Tu as huit mois pour t'y habituer. La première rencontre n'en sera que plus facile.

À ces mots, en moins de deux, le journal avait repris sa place habituelle devant le visage de Roger pour que ce dernier puisse impunément lever les yeux au ciel.

Quand Muriel se mettait à parler de ses angoisses…

À grand-peine, Roger avait donc retenu les quelques mots cinglants qui lui étaient venus à l'esprit et réprimé un long soupir d'exaspération. Il savait pertinemment qu'il valait mieux ne pas insister.

Avec Muriel, même certains silences, parfois, étaient mal interprétés. Que dire alors des paroles malencontreuses qu'il aurait pu laisser échapper?

Philosophe par la force des choses, Roger s'était dit qu'ils avaient justement huit mois devant eux. Huit longs mois pour que Muriel se fasse à l'idée d'un bébé à la maison, et huit longs mois d'une cabale intensive pour l'amener à vouloir changer ce prénom ridicule.

Clémentine, Alice ou Julianne... Pour une fille, ça serait joli, non?

Tandis que Victor ou Pierre, ça sonnerait plus viril, c'était incontestable.

Par contre, s'il détestait ces prénoms insignifiants sans allégeance précise, Roger détestait encore plus l'idée de rester sans progéniture, et comme cela faisait plus de quinze ans maintenant que Muriel et lui étaient mariés...

Ce fut pour cette raison qu'au fil des mois, la cabale se fit plutôt discrète, pour finalement s'essouffler d'elle-même. Devant une épouse aux inquiétudes multiples et récurrentes, Roger préféra taire son ressentiment et se faire à l'idée.

Après tout, c'était Muriel qui portait le bébé, n'est-ce pas? Alors, ce serait donc André ou Andrée...

Pourquoi pas?

Le bébé fit son apparition le jour de Noël, une bonne semaine en avance sur l'horaire prévu et sans laisser à qui que ce soit la possibilité de terminer le café du matin. Peut-être bien, tout compte fait, que ce petit bébé en avait assez des anxiétés de cette femme qui le portait depuis plus de huit mois, car elle n'avait parlé que de douleurs, d'appréhensions et d'inconfort tout au long de cette maternité qui n'en finissait plus. Peut-être bien, oui. À moins que ce soit la terreur liée au fait d'accoucher qui se fit contagieuse ce matin-là et qu'il décida, sur un coup de tête, d'en finir au

plus tôt. En effet, depuis plus de deux mois, Muriel pani-
quait littéralement à l'idée de devoir «en passer par là».

— Vous êtes bien certain, docteur, qu'il n'y a pas d'autre
solution?

Malheureusement, la nature étant ainsi faite, il n'y avait
aucune autre solution. Muriel le savait d'instinct, mais se
l'entendre dire aussi sèchement avait autorisé son anxiété à
faire un bond prodigieux et elle s'était aussitôt transformée
en une angoisse aiguë. Tant et si bien qu'au matin de Noël,
le bébé en eut assez de toutes ces doléances, jérémiades et
lamentations et il donna le coup d'envoi à une naissance
imminente, à savoir la sienne. Devant les cris soutenus qui
lui parvenaient à intervalles réguliers, il fit même le plus vite
possible et, en moins de quatre heures, tout était fini; André
poussait son premier cri avant de s'endormir profondément,
épuisé par cette arrivée expéditive.

André, sans le «e», notez-le bien, car il s'agissait d'un
petit garçon.

Muriel qui somnolait sous l'effet d'un quelconque sédatif
au moment de ce fameux premier cri tant espéré fut absolument terrifiée quand, dans l'heure qui suivit, on lui annonça
l'heureuse nouvelle.

— Vous êtes la maman d'un beau garçon!

Un garçon?

Doux Jésus!

Même si la chose était hautement envisageable, après tout
une maternité est un pari dont le résultat est prévisible à
cinquante pour cent, Muriel ferma les yeux afin que personne ne puisse lire l'affolement qui venait de l'envahir.

Qu'allait-elle faire d'un André au masculin, même

minuscule, elle qui ne connaissait rien aux garçons, à l'exception de ce Roger qui était son mari et qu'elle s'était toujours contentée d'observer à distance ?

La panique de Muriel fut bien réelle et d'une intensité indescriptible. Pourtant, cette sensation désagréable se transforma en une notion évanescente à l'instant précis où elle ouvrit un œil inquiet sur ce bébé enveloppé de langes qu'on venait de déposer délicatement au creux de ses bras.

Un chérubin !

C'était un véritable petit chérubin, un angelot, qu'on lui présentait comme étant son fils !

Il n'y avait pas d'autre mot pour décrire ce nouveau-né : son fils était un véritable petit ange descendu du ciel, juste pour elle.

Le teint rose, la boucle blonde et la bouche en cœur, André dormait paisiblement contre son sein.

Muriel ne put résister devant tant de charme, et le sexe de l'enfant devint subitement et irrévocablement tout à fait accessoire, comme le sexe des anges. Le cœur fondant d'une affection surprenante mais on ne peut plus sincère, Muriel referma les bras sur le petit corps dodu avec une infinie tendresse.

Avec une telle carnation, fille ou garçon, le rose lui irait à ravir !

Quant à Roger, après une attente interminable à faire les cent pas dans un long corridor sombre, coincé qu'il était entre une fougère envahissante et un saint Joseph poussiéreux, il fut conquis dès le premier regard.

Comment avait-il pu engendrer une telle perfection ?

Le nouveau père joignit les mains à la hauteur du cœur,

ému jusqu'à l'âme. Il se voyait déjà, dans la cour arrière de leur maison, enseignant les rudiments du baseball à un gamin rieur et turbulent, vêtu d'une salopette et coiffé d'une casquette.

Que de plaisir en perspective!

À mi-chemin entre Nativité et jour de l'An, on ramena donc le bébé à la maison avec mille et une précautions, cela va sans dire, et la vie familiale put enfin commencer!

Dès les premières semaines, comme il fallait s'y attendre un peu, il apparut clairement que l'éducation d'André logerait à l'enseigne de l'ambiguïté de son prénom.

— Un pyjama rose? Voyons donc, tu n'y penses pas sérieusement?

Penché sur une bassinette aux tons pastel, Roger fulminait tandis que Muriel haussait les épaules, comme accablée devant une telle étroitesse d'esprit.

— Pourquoi pas? Regarde comme il est mignon!

Roger jeta à l'enfant un second regard, méfiant. Effectivement, André était à croquer dans son nouveau pyjama. Ainsi que l'avait souligné Muriel, le rose lui donnait un teint de pêche. Roger ferma donc les yeux sur cette extravagance. Après tout, du haut de ses cinq semaines, André vivait encore en permanence dans l'intimité de leur foyer, et personne ne le verrait ainsi affublé.

Heureusement!

Néanmoins, à moins d'un mois de là, Roger revint du travail avec un mystérieux et volumineux colis qu'il déballa et posa dans le lit du nourrisson.

— Un camion de pompier? Voyons donc, tu n'y penses pas sérieusement? Il n'a pas trois mois!

Poings sur les hanches, Muriel avait les yeux exorbités tandis que Roger, à son tour, haussait les épaules, comme exaspéré devant une remarque aussi inutile.

— Pourquoi pas? Quel que soit l'âge, tous les petits garçons aiment les camions de pompier, c'est bien connu!

— Peuh! Ce n'est qu'un cliché.

— Nenni, madame, nenni!

André comprit-il la gravité du moment? Sourcils froncés, il écouta attentivement les voix qui s'élevaient au pied de son lit, puis il tourna son regard curieux vers ce cadeau imprévu et encombrant qui semblait vouloir s'installer à demeure tout à côté de lui.

La couleur, un rouge flamboyant, un rouge pompier justement, y fut-elle pour quelque chose? Probablement. Ou alors, c'était le nickel étincelant des garnitures qui l'envoûta. Sait-on jamais. Qui aurait pu répondre à cette question avec certitude puisque André lui-même ne disait rien?

Ce qui fut clair, cependant, ce fut son rire. Cristallin et irrésistible. Le premier qu'André faisait entendre et il se prolongea, tout en cascades.

Le bébé venait d'avoir neuf semaines.

— Bon, tu vois!

Roger resplendissait, incapable de retenir le soulagement qu'il ressentait et la suffisance qui l'accompagnait.

— Ça ne veut rien dire, cracha Muriel.

Sur ces mots, elle tourna les talons et sortit de la chambre en martelant le parquet.

Les hostilités étaient déclarées.

De ce jour, il y eut donc une multitude de pyjamas dans tous les tons de rose, du plus pâle au plus voyant. Puis, quelques mois plus tard, une barboteuse framboise apparut comme par enchantement dans la penderie du bébé. Cette couleur, tout à fait intéressante bien qu'étonnante chez un garçon, se mariait à merveille avec les joues rebondies d'André, lequel grandissait en âge et en sagesse. Enfin, au tournant de l'automne, il y eut une première salopette d'un improbable fuchsia.

— Ne fais pas cet air-là, Roger, tu n'y connais rien. Je l'ai acheté par catalogue. En France, c'est du dernier cri.

Le lendemain, en guise de représailles, un énorme ballon multicolore faisait une entrée remarquée dans la chambre d'André. Pour l'occasion, le bambin, qui allait avoir bientôt dix mois, poussa un premier cri de joie.

— Tu vois! La preuve est faite qu'il préfère mes cadeaux!

— Tous les bébés adorent les babioles. Ça ne veut rien dire.

— Si ça te fait plaisir de le penser…

Et les années passèrent.

Au Québec, on était en pleine Révolution tranquille, alors il y eut des vêtements à pois, à rayures et à carreaux. Il y eut des chemises à fleurs, du macramé, des bermudas vert lime et des pantalons tirant sur le rose. Oui, vous avez bien entendu, des pantalons roses, et personne ne s'en moqua. Mais en contrepartie, par souci d'équité, il y eut aussi des parties de baseball enflammées, tant dans la cour familiale qu'au parc du quartier.

Et du football, et du softball, et du tennis…

Les jours de pluie, quand Maman voulait découper des modèles dans une revue, André s'y prêtait de bonne grâce, car en fin de compte, il aimait bien les jolies robes toutes colorées. Puis, c'était très confortable, les robes. André le savait puisque maman lui avait cousu une tenue d'intérieur du plus beau lilas qu'on puisse trouver. Oui, oui, maman l'avait cousue elle-même, cette djellaba tirant sur le parme ! Juste pour lui. Cependant, si par un beau samedi, Papa avait envie de lancer le ballon de football, alors c'était tant mieux, car André adorait tout ce qui s'appelait balle ou ballon.

André était un enfant heureux, comblé d'attention et baignant dans un amour parental inconditionnel.

On inscrivit André à l'école du quartier pour le primaire et à quelques cours de chant chez madame Constance pour la distraction ; puis suivit l'époque du campus de la ville voisine pour le secondaire où les amis ne furent pas légion, avouons-le, mais peu importe. André continuait d'être un enfant heureux puisqu'il était un enfant aimé.

À l'adolescence, il apprit qu'un peu de fond de teint suivi d'un nuage de poudre pressée faisait des miracles pour cacher un malencontreux bouton ou camoufler des yeux cernés.

Sans en abuser, André en fit quand même un bon usage.

Un peu plus tard, quand le jeune homme eut seize ou dix-sept ans, il comprit que les filles avaient un faible pour les garçons aux boucles blondes et aux yeux bleus, et lui, une préférence marquée pour les belles brunes plantureuses.

La vie continua et, en moins de temps qu'il n'en faut pour le dire, le secondaire et même le cégep furent chose du passé.

Ne restait plus qu'à décider ce qu'André voulait faire dans la vie avant de se trouver une compagne prête à le suivre, ce qu'il remettait de jour en jour parce qu'il était un brin timide. Mais il faudrait bien qu'un jour il se décide, et, à ce moment-là, dans quelques années, il pourrait quitter le nid et voler de ses propres ailes.

Simple comme bonjour, me direz-vous, et tout ce qu'il y a de plus normal, mais pas pour André. Élevé depuis toujours dans l'ambiguïté de son prénom, il était indécis.

Les sports ou la mode ? La mode ou les sports ?

André aimait les sports, c'était un fait admis de tous, et, selon Roger, spectateur enthousiaste, tous les espoirs étaient permis. Ainsi donc, accompagné de son père, André se présenta au gymnase le mieux coté de la région et, débordant de bonne volonté et d'espoir, il s'inscrivit à un cours particulier de tennis.

Malheureusement, dans ce domaine, l'ambition ne suffit pas et il faut plus qu'un minimum de talent pour réussir. L'entraîneur fit vite comprendre, tant au père qu'au fils, qu'il valait mieux oublier cette idée de sport professionnel.

— Le ping-pong peut-être ?

Le regard haineux de Roger mit un terme à cette discussion stérile.

Qu'à cela ne tienne, grâce à Muriel, André avait plus d'une corde à son arc. Il aimait aussi la «guenille» et tous les artifices qui s'y rattachaient, n'est-ce pas ? Il se tourna donc de ce côté-là et oublia le sport. Ce fut un jeune homme rempli de confiance qui se présenta à la meilleure école de couture de la ville en compagnie de sa mère. Il serait designer de mode.

Dior n'avait qu'à bien se tenir !

Malheureusement, le coup de crayon ne suivit pas l'intérêt manifeste. Au bout d'un interminable semestre, la mort dans l'âme, André emprunta de lui-même le long corridor menant à la porte de sortie et, durant quelques semaines, il promena dans la maison familiale un grand, un insondable découragement qui s'était insidieusement et intimement emmêlé à son habituelle hésitation.

Qu'allait-il faire de son existence, grands dieux, puisque de toute évidence la vie ne voulait de lui nulle part?

Muriel et Roger se regardaient en chiens de faïence, persuadés que «l'autre» était le principal artisan de ce grand malheur familial.

Si André n'avait pas gaspillé la majeure partie de son temps à lancer des balles et des ballons, il aurait mieux travaillé le dessin et on n'en serait pas là aujourd'hui. Il avait un tel goût pour les vêtements, les babioles et les couleurs qu'il aurait pu, sans nul doute, réussir dans ce domaine!

Peut-être.

Mais d'un autre côté, si André n'avait pas perdu un temps fou à feuilleter des revues de mode ou à faire des vocalises inutiles, il aurait pu augmenter les heures de pratique au tennis et on n'en serait pas là aujourd'hui. Il aurait développé un talent qui ne demandait qu'à être exploité et on parlerait de lui dans la rubrique des sports depuis un bon moment déjà.

Peut-être.

En attendant...

En attendant, André tournait en rond chez lui, déprimé. Jusqu'au jour où il en eut assez de se heurter à deux regards vindicatifs qui se fusillaient et d'entendre des paroles chargées de vitriol qui s'échangeaient d'une pièce à l'autre.

Exaspéré, André sortit de la maison en claquant la porte.

Une première dans les annales familiales. Une première à ce point surprenante que les deux belligérants en restèrent bouche bée et n'eurent même pas le réflexe de rappeler leur fils pour demander une explication.

Les pas d'André le menèrent directement au centre-ville. Là aussi, une première pour le jeune homme qui, par instinct ou par désœuvrement, avait senti qu'un peu de nouveauté serait approprié dans les circonstances.

Grand bien lui fit car, au tournant d'une ruelle donnant sur l'artère principale, à deux pas du cabaret Le Corona, il croisa Claude, une connaissance rencontrée l'année précédente à l'école de couture.

— Mon beau André! Comment vas-tu?

Yeux au ciel et minauderies, Claude semblait ravi.

Si pour certains aspects de l'existence, André avait toujours endossé en priorité le côté masculin de son prénom et qu'il affichait, bien que timidement, une attirance avouée pour les belles brunes, Claude, pour sa part, s'était toujours senti franchement plus confortable à l'ombre du côté féminin de son prénom et, sans la moindre équivoque, il préférait les grands blonds aux yeux bleus. La chose était bien assumée de part et d'autre et déjà dite clairement. N'empêche qu'André et Claude s'appréciaient ouvertement l'un l'autre, et le plaisir de cette rencontre inopinée fut réciproque.

— Claude! Quel plaisir!

Ceci fut dit d'une voix qui manquait nettement d'enthousiasme. Malgré la sincérité de ces quelques mots qu'il ne mit nullement en doute, Claude fronça les sourcils.

— T'as l'air de filer un mauvais coton, toi là... Qu'est-ce qui se passe?

Peu habitué à l'intimité d'une franche camaraderie, et de ce fait peu enclin à épancher ses états d'âme sur le bord d'un trottoir, André se mit à rougir.

Il ne savait par quel bout commencer.

Comment dit-on, même à un ami, que la vie ne veut pas de nous ? Cela aurait à tout le moins mérité un peu de réflexion avant d'en arriver à une quelconque conclusion. Claude, pétri d'intuitions féminines, comprit aisément le malaise.

— De quoi je me mêle, Seigneur ! Si tu ne veux pas parler, ça te regarde. Par contre, t'as besoin de distractions, mon grand, c'est évident. J'allais justement prendre quelques bulles au Corona. Allez, viens, suis-moi ! Il y a là un spectacle haut en couleur dont tu vas me donner des nouvelles, j'en suis certain.

Est-ce le mot « couleur » qui piqua la curiosité d'André ? Ou encore l'affiche prometteuse d'une belle brune toute de paillettes vêtue qui s'entêtait à le regarder droit dans les yeux quand ils approchèrent du guichet ? Peu importait après tout, puisque André ne se posa aucune question. Il emboîta le pas à son ami en se disant qu'effectivement, il avait un grand besoin de distraction. C'était assurément le Ciel, son allié de toujours, qui avait guidé ses pas jusqu'à cette rue et, par conséquent, jusqu'à son ami Claude.

La salle du cabaret était bien éclairée et la scène cachée par de lourdes draperies de velours pourpre attirait les regards. Sur les murs, les dorures foisonnaient sous l'éclairage des plafonniers et, sur les tables, le Crystal brillait. Pour quelqu'un comme André qui était né chérubin et qui avait toujours vécu dans la ouate et le cachemire, l'endroit avait tout pour plaire. Il se laissa aller contre le dossier de satin de son fauteuil cramoisi et attendit le spectacle tout en tendant machinalement la main vers la coupe de champagne qui venait d'apparaître devant lui. Selon Claude, Madame Michelle ne devrait plus tarder.

— Tu vas voir ce que tu vas voir !

Malgré l'insistance d'André, Claude refusa d'aller plus avant dans ses explications.

Quelques instants plus tard, Madame Michelle fit une entrée remarquée, glissant une jambe gainée de soie entre les pans du lourd rideau de velours tandis qu'on tamisait les lumières. Puis, sous l'œil d'un projecteur unique braqué sur la scène, le reste de la tenue de Madame Michelle apparut petit à petit. Paillettes, tulle et organdi…

Quelle femme ! Quelle élégance ! Quelle robe !

André en avait les mains moites. Il les pressa sur sa poitrine.

Oui, ça c'était de la robe… Exactement comme celles qu'André aurait tant voulu être capable de dessiner.

Il en resta le souffle coupé tandis que l'orchestre attaquait une première mesure et que Madame Michelle, tout en grâce, se mettait à danser et à chanter devant un public conquis d'avance.

André ne vit pas l'heure tourner. Quand le rideau retomba sur une finale éblouissante, il se tourna franchement vers Claude.

— Quel spectacle ! Quels costumes ! Quelle femme !

— Une femme ? Quelle femme ?

Se tordant le cou, Claude fit mine de chercher autour de lui. La salle s'était vidée, les lumières commençaient à s'éteindre, le Crystal avait été rangé et la dorure des appliques murales n'avait de brillant que le souvenir qu'on voulait bien en garder.

Après un bref tour d'horizon, Claude revint devant André.

— Je ne vois de femme nulle part pour l'instant.

— Arrête de te moquer. Je parle de Madame Michelle, voyons !

— Ah, elle !

— Oui, elle ! Mais qu'est-ce que tu as ? À mon tour de dire, mon pauvre Claude, que tu as une drôle de mine !

Une drôle de mine, soit, mais c'était une mine de gentille moquerie. N'empêche que ce fut avec autorité que Claude poussa dans le dos d'André pour le faire avancer. L'attitude de son ami tout au long de la soirée avait été trop éloquente pour ne pas y donner suite.

— Allez ouste ! On va derrière la scène, mon beau. Je vais te présenter.

Et Claude d'afficher un large sourire, cette fois nettement narquois, devant le visible affolement d'André qui, devinant les intentions de son ami, s'était mis à rougir violemment.

— Me présenter à qui ? À Madame Michelle ? Allons donc ! Tu n'y penses pas sérieusement, j'espère ?

André se voyait déjà quittant le cabaret, une jolie brune à son bras, et cette image l'angoissait au plus haut point.

La loge n'était pas fermée à clé et Claude y entra sans autre forme de politesse qu'un bref coup frappé à la porte.

Pour André, la surprise fut totale et la discussion qui s'ensuivit fort longue.

Ce soir-là, quand il quitta le cabaret, André était songeur, et c'est par besoin de tout analyser seul qu'il déclina la proposition de Claude qui s'offrait à l'accompagner et ce fut à pas lents qu'il fit la route le menant chez lui car il devait réfléchir.

Le lendemain, il se présenta de nouveau au Corona et il demanda la même table.

Ainsi que le surlendemain.

André avait beau savoir, il ne voyait pas. Le subterfuge était mystifiant. Comment une telle métamorphose était-elle possible?

C'était surtout fort tentant!

Un mois de présence assidue aux spectacles, de tergiversations avec lui-même, de valse-hésitation.

Un pas en avant, pourquoi pas?

Un pas en arrière, mais qu'est-ce que c'était que cette idée de fou?

Un mois de «oui», un soir, et de «peut-être», le lendemain, eux-mêmes suivis d'un «non» catégorique quand il pensait à ses parents.

Pourtant, Madame Michelle attendait une réponse claire à une question qui avait été tout aussi limpide.

— La relève vous intéresserait-elle, jeune homme? avait-elle demandé, reconnaissant aisément une pointe d'envie dans le regard qui se posait sur elle, ce fameux premier soir où André lui avait été présenté. Le public est fidèle, pas de doute, et le salaire, ma foi, pas trop mal. Je ne suis plus très jeune et les artifices, bientôt, ne suffiront plus.

Et croyant percevoir une lueur d'inquiétude dans le regard d'azur, Madame Michelle avait ajouté précipitamment, question de clarifier la situation sans la moindre ambiguïté:

— Ce n'est pas le fait de s'appeler «madame» le soir qui vous empêche d'être «monsieur» le reste du temps, vous savez.

— Ah non?

Le ton disait une forme de soulagement.

— Pas du tout. La carrière de «Madame Michelle» m'a permis d'élever trois enfants.

Cette donnée ajouta aussitôt un élément positif dans un des plateaux de la balance de l'équation.

Au bout d'un mois, épuisé, André avait enfin pris sa décision.

Hardi les cœurs, il ferait le grand saut.

De toute façon, il avait besoin d'un projet pour être occupé, c'était là ce que ses parents ne cessaient de répéter.

Il avait surtout besoin de gagner sa vie comme tout le monde.

Et il aimait les paillettes, n'est-ce pas? Sa mère serait sûrement sensible à cette irrépressible attirance qui avait lourdement pesé dans sa décision.

Tout comme il aimait les jolies robes, une réalité qui ne datait pas d'hier et, là aussi, Muriel allait forcément le comprendre.

Ajouté à cela qu'un soupçon de poudre sur le nez faisait partie de certaines habitudes quasi journalières et le reste du maquillage devrait suivre sans trop de difficulté.

Quant à la danse et toutes ces chorégraphies qui, à première vue, semblaient plutôt compliquées à l'œil d'un profane, ce n'était qu'un détail pour André. Tous les sports pratiqués depuis la plus tendre enfance lui garantissaient une certaine souplesse, une incontestable élégance. Comme il le soulignerait à son père, peut-être bien pour dorer la pilule, ce serait une belle façon de garder la forme.

Finalement, André avait l'habitude depuis toujours d'être le point de mire d'un certain public. La perspective de se retrouver sur une scène ne l'effrayait pas trop.

Alors…

André prit son courage à deux mains par un beau samedi soir de mai. Il attendit que les admirateurs se soient dispersés et il frappa discrètement à la porte de la loge de Madame Michelle.

— Si vous êtes toujours d'accord, je vais vous suivre dans ce projet pour le moins particulier. Ça me tente, c'est bien certain, mais je vais avoir besoin d'encadrement parce que j'ai un trac fou.

— T'inquiète pas, le jeune, je suis passé par là. Si tu sais pousser la chansonnette sans fausser, comme tu l'affirmes, ça devrait aller. Tu as tout ce qu'il faut pour plaire car les boucles blondes sont toujours de saison, crois-moi !

Ce fut ainsi qu'à partir de ce jour-là, Michel enseigna toutes les ficelles du métier à André qui s'avéra, cette fois-ci, un excellent élève.

Deux mois plus tard, on modifiait déjà la publicité du spectacle. À grand renfort de brillants et de couleurs, on annonça que Madame Michelle donnerait sa dernière représentation, samedi en huit, mais n'ayez crainte, elle serait en compagnie de Madame Andrée qui prendrait la relève à partir de la semaine suivante.

Sur la photo affichée sous la marquise, la méprise était stupéfiante : deux jolies femmes, une blonde et une brune, souriaient à l'infini.

Le triomphe fut total!

Assis à la toute première table devant la scène, Claude n'en pouvait tout simplement plus de toute cette excitation qui saturait l'air ambiant. Il y allait de ses hourras enthousiastes et de ses bravos remplis d'admiration. À lui seul, si le besoin s'en était fait sentir, il aurait pu réchauffer la salle! Il faut dire, à sa décharge, que rien n'aurait pu lui être plus agréable que de pouvoir siffler le bel André, devenu la belle Andrée le temps d'une représentation.

Mais encore…

À la table voisine, plus modérés parce que plus hésitants, Muriel et Roger assistaient au spectacle, à la demande expresse d'André. Ils étaient estomaqués.

Était-ce bien leur fils qui chantait et dansait, là, sous leurs yeux? C'est à peine s'il se ressemblait, quoi que, dans le geste et le regard…

Muriel, en partie pour cacher une gêne qu'elle qualifiait intérieurement de légitime, préféra garder son attention sur les costumes, tous plus extravagants les uns que les autres.

— Tu vois, murmura-t-elle à la fin d'une chanson, alors que la représentation allait bon train, quand je te disais que notre fils avait du talent pour la création de mode, je ne parlais pas à travers mon chapeau. Toutes ces heures à s'intéresser à mes revues ont fini par porter leurs fruits. Tu admettras avec moi que seul un esprit avisé peut concevoir de telles tenues et seul un esprit borné ne peut l'admettre.

Roger se sentit piqué à vif. Il ouvrit les lèvres pour rétorquer que, sans le sport, leur fils n'aurait pas cette élégance ni cette assurance dans le pas. Quand même, Muriel poussait le bouchon un peu loin! Mais alors qu'il posa les yeux sur sa femme pour répliquer vertement, un ange passa.

Il y avait tellement d'amour et de fierté dans le regard de Muriel...

Roger referma la bouche sans dire un traître mot.

À quoi bon poursuivre les hostilités et les comparaisons?

André ne leur donnait-il pas la preuve, ici même ce soir, qu'à titre de parents, Muriel et lui avaient été à la hauteur?

De toute façon, il y avait belle lurette, n'est-ce pas, qu'il avait décidé qu'André ou Andrée, ça n'avait finalement pas tellement d'importance. Il aimerait cet enfant-là de façon inconditionnelle jusqu'à la fin de ses jours.

Roger esquissa un sourire nostalgique à la pensée de toutes ces années qui semblaient n'avoir duré que le temps d'un soupir.

Du poupon au petit garçon, de l'adolescent au jeune homme...

Au bout du compte, qu'importe le comment des choses ou la manière de les faire. C'était le résultat qui avait de l'importance et, visiblement, leur fils, en ce moment, était un homme heureux.

Alors...

Roger se redressa et, faisant taire ses derniers malaises, il joignit sa voix à celle de ce drôle de coco qui s'égosillait à la table d'à côté, question de faire bonne mesure.

— Bravo! Bravo!

Surprise mais heureuse, Muriel se tourna vers son mari. Enfin, Roger avait compris.

C'est ainsi que, depuis bien des années maintenant, tous les samedis, un vieux couple se présente au cabaret Le Corona. L'homme et la femme s'installent toujours à la deuxième table du côté de la scène. Sans jamais prononcer le moindre mot, ils saluent néanmoins leur voisin de table, toujours le même, d'un bref signe de la tête, puis ils commandent deux verres de champagne, le meilleur qui soit, car tous les samedis soirs, depuis maintenant bien des années, Muriel et Roger assistent au spectacle de leur fils, Madame Andrée.

Et vous, l'avez-vous vu, ce spectacle ?

Non ? Dommage, vous ne savez pas ce que vous manquez.

Lettre à la petite demoiselle

Note de l'auteur

Ma dernière demoiselle n'a rien à voir avec celles du quartier. Du moins, pas pour l'instant. Ses grands yeux bleus n'ont contemplé que sourires et belles choses. Sa peau de pêche ne sait pas encore qu'un jour elle va flétrir.

Ma dernière demoiselle se prénomme Alexie et n'a que deux ans.

Cette toute jeune personne m'a accompagnée tout au long de l'écriture de ce recueil de nouvelles. J'ai couché les premiers mots de ce recueil alors qu'elle n'était encore qu'une ébauche de petite fille, blottie contre mon cœur, et parfois elle approuvait de ses roulements d'épaules tout en douceur ou me rappelait à l'ordre de ses coups de pieds autoritaires. En écrivant ce livre, je portais la vie en moi, et la petite personne qui grandissait dans mon ventre me faisait aimer la vie.

C'est peut-être un peu pour cela que ce matin, à mon réveil, j'ai eu envie de lui écrire...

Petite Alexie,

Tu es entrée dans ma vie par un beau matin de mars. Un de ces matins de fin de saison, tout en soleil et en brise odorante, qui nous font oublier qu'hier était encore l'hiver et que demain ne sera pas nécessairement le printemps.

J'étais toute seule à la maison. À la main, je tenais le petit témoin de plastique où tu n'étais qu'une petite croix bleue.

J'étais sceptique.

Avais-je envie de me réjouir ?

Je n'étais pas vraiment décidée. Bien sûr, nous en avions parlé, ton papa et moi, et j'étais d'accord avec le principe d'avoir un bébé. Mais là, d'un seul coup, tu venais de transformer les probabilités en réalité. Et quelle réalité ! Je savais fort bien que tu prendrais beaucoup de place, puisque huit bébés étaient venus avant toi. Je ne savais trop si j'avais envie d'être bousculée à nouveau.

Par contre, j'avais besoin de partager la nouvelle. Cela, c'était certain. J'ai donc sauté dans l'autobus du coin de la rue puis dans le métro au cœur du Plateau pour rejoindre ton papa à son travail.

De ce périple à travers la ville, je ne me rappelle pas grand-chose. Peut-être un soleil un peu plus brillant qu'il n'aurait dû l'être pour un matin de mars et une main nonchalante qui se posait machinalement sur mon ventre encore plat. Par contre, mon cœur, lui, ne se posait assurément pas de questions, car il battait déjà très très fort.

La larme de joie que j'ai aperçue au coin de l'œil de ton papa a enterré à tout jamais le peu d'indécision que mon esprit un brin égoïste avait osé élaborer.

Tu venais de t'introduire en conquérante dans la vie de ta maman.

Pourtant, tu posais des problèmes. Je n'étais plus toute jeune. J'étais même beaucoup plus en âge d'être grand-mère que maman. N'avais-je pas poussé la nature hors de ses limites acceptables? Je te l'avoue, une grande inquiétude a accompagné mes premiers mois de grossesse.

Mais ton papa, lui, n'a jamais douté.

Même pendant ces trop longues semaines où de légers saignements assombrissaient mes journées. Je restais de longues heures alitée, je comptais les minutes et les secondes, j'étais à l'écoute de ce corps que je croyais trop vieux pour bien accomplir sa tâche.

J'avais terriblement peur de te perdre. Pourtant, tu n'étais encore qu'une ébauche de petite fille à peine plus grosse qu'une noisette.

Puis le temps a passé et le ciel a écouté mes prières. Un bon matin je me suis levée et les saignements étaient chose du passé. D'où étaient-ils venus, on ne le saura jamais. Ils ont disparu comme ils s'étaient présentés, comme par magie.

Mon inquiétude a donc repris sa dimension première, le miroir me rappelant sournoisement, soir et matin, que je n'avais toujours pas rajeuni.

Cela a aussi été l'époque des avertissements, des mises en garde bien intentionnées de tous. Mon âge portait en soi ses dangers, les risques que tu ne sois pas en santé étaient réels. D'un simple regard entre nous, ton papa et moi avons su que nous ne plierions pas aux arguments des médecins. Pas question d'examens approfondis et surtout, pas question d'interruption de grossesse. Nous prendrions le bébé que la vie nous avait réservé tel qu'il se présenterait à nous.

Nous t'aimions déjà, petit bout de femme, et nous t'aimerions inconditionnellement quoi qu'il puisse arriver.

Mais toi, inconsciente de tout le branle-bas que tu suscitais, tu te permettais déjà de faire ta coquette et exigeais plus que le commun des bébés, malmenant nos cœurs. Dès la douzième semaine, tu jouais à la cachette. À l'examen habituel du médecin tu avais décidé de te dérober. Ton petit nid grossissait normalement mais point de battements cardiaques. Que se passait-il encore ?

Coup de téléphone, course à l'hôpital, échographie d'urgence...

L'émotion de ce premier rendez-vous entre nous... Tu étais tout simplement cachée dans quelque recoin obscur et douillet où tu nageais comme un petit poisson.

Et ton cœur, lui, battait fort bien, déjà formé et vigoureux.

Puis les semaines ont passé. À cause de toi et pour notre confort à tous, nous avons choisi une demeure plus vaste, plus ensoleillée, près d'un parc immense qui donne sur le fleuve, où nous pourrions te promener. Et la cour arrière de notre maison serait assez grande pour accueillir carré de sable et balançoire sans nuire aux ébats d'un grand frère et d'une grande sœur qui avaient grande hâte de te connaître.

Mon ventre s'arrondissait, mes seins s'alourdissaient sans que je prenne trop de poids comme j'y étais habituée.

Pour une toute première fois, je me trouvais vraiment belle avec mon gros bedon...

Tu n'étais pas un bébé difficile à porter. Tes mouvements étaient tout en douceur, tu n'empiétais pas sur mon espace vital, me laissant respirer tout à mon aise.

Et ton papa, à sa façon, te portait tout comme moi. Tout au long du jour, sa main s'égarait souvent sur la rondeur de mon ventre et chaque soir, à l'heure douce du sommeil, il parlait à mon nombril avec une émotion nouvelle dans la voix. Au fil des mois, je crois bien que tu as appris à reconnaître cette voix-là, car dès que ton papa te parlait, quand il était tout près de toi, tu cessais de bouger et me semblais fort attentive à ses propos.

C'était la première fois que ton papa vivait la grande aventure de l'attente et il prenait son rôle fort au sérieux. Et surtout, il disait qu'il m'aimait avec une intonation différente qui me donnait des ailes. Nous étions deux à t'espérer, petite fille, et ta présence en moi apportait une plénitude joyeuse à l'amour qui existait déjà entre nous.

Toujours à cause de mon âge, on a préféré que je passe deux échographies, à six semaines d'intervalle. Tu ne t'en doutais pas le moins du monde, mais tu as eu droit à des examens complets. Eh oui! Même bien à l'abri des regards, on t'a mesurée sous tous les angles, on t'a vérifiée sous toutes tes coutures. Et on a pu écarter dès la vingtième semaine quelque trouble héréditaire qui aurait définitivement brimé ta vie.

Mon inquiétude s'amenuisait donc au fil de ces examens et, malgré quelques risques encore possibles, mon optimisme inné avait repris le dessus.

Les derniers mois de ma grossesse ont été parmi les plus beaux qu'il m'ait été donné de vivre.

Bien sûr, tu te faisais de plus en plus envahissante, lourde à mes reins, entrecoupant mes heures de sommeil de longs moments d'insomnie. Mais ce n'était rien. Comme le dit si bien ta grand-maman, comme tous les bébés du monde tu apportais avec toi un cadeau. Le tien a été de me redonner le goût de peindre. Ensemble, toutes les deux, nous avons passé des heures merveilleuses devant le chevalet. J'ai retrouvé le plaisir de jouer avec les couleurs comme j'aime jongler avec les mots. Grâce à toi, ma vie avait atteint une nouvelle dimension, une luxuriance faite de confort et de sérénité. L'attente n'a pas été trop dure, bien au contraire.

J'ai découvert avec toi qui grandissais dans mon ventre, avec ton papa qui m'accompagnait si bien dans cette grande aventure et avec ton frère et ta sœur qui parlaient déjà de toi avec des étoiles au fond des prunelles, j'ai découvert qu'on pouvait être heureuse à en pleurer et ne pas en mourir.

Le temps s'écoulait paisiblement, de plus en plus lentement devrais-je dire, car tu me semblais bien lourde, quand un bon jour, tu as décidé qu'il était temps de venir nous rencontrer. C'était un petit matin tristounet de mi-novembre, gris et froid, avec un vilain crachin qui gommait la tête des gratte-ciel du centre ville.

Ce fut un jour de grand soleil dans mon cœur.

Avec une certaine anxiété, je l'avoue, j'avais décidé que tu viendrais au monde sans l'aide de ces artifices de la médecine moderne. C'est moi qui te mettrais au monde. Toutes les deux, ensemble, nous allions faire en sorte que ce grand dialogue d'amour et d'intimité se poursuive jusqu'à la toute dernière minute. C'était le choix que j'avais fait pour ta naissance et j'espérais avoir le courage de me rendre jusqu'au bout. Pour tes frères et sœurs, je n'avais pas su...

Je suis arrivée à l'hôpital avec une certaine crainte, beaucoup de détermination et l'exaltation habituelle que toute maman ressent au jour de l'accouchement.

Une page de notre amour se tournait déjà, dans quelques heures tu serais toi.

Peut-être avais-tu deviné à quel point j'avais peur? Je ne

sais pas. Par contre, tu as fait vite, très vite. Alors, malgré la grande douleur qui a accompagné ta naissance, je n'ai pas vraiment eu le temps de m'y attarder. À peine deux heures de travail en compagnie d'un papa qui te parlait et me soutenait de son amour, suivies d'une formidable poussée qui t'a propulsée hors de moi et tu lançais ton premier cri de surprise et de colère. Je crois bien que tu n'étais plus du tout certaine d'avoir fait le bon choix, ce matin-là. Puis ton papa t'a prise dans ses bras et il t'a parlé doucement. Aussitôt, tu as cessé de pleurer et tu t'es mise à examiner le drôle d'endroit où tu venais d'atterrir, les sourcils froncés, exactement comme ton papa le fait quand il cherche à comprendre. Tu sentais les caresses sur ton corps, tu entendais les voix que tu connaissais déjà et bientôt tu as retrouvé le son rassurant des battements de mon cœur, blottie contre mon sein. Tu as tété tout de suite parce que c'était là la seule chose que tu savais faire, puis tu t'es endormie…

J'avais oublié que c'est à partir de ce moment-là que le véritable bal commence! On oublie tant de choses dans la vie quand on le veut bien!

Il y a eu ce temps des nuits trop courtes et celui des journées trop longues quand tes pleurs emplissaient la maison de leur présence colérique et que j'étais seule avec toi. Il y a eu aussi un papa démuni qui trouvait que tu prenais beaucoup de place et faisais un drôle de boucan pour une si petite fille. Mais quand tu t'endormais, repue, ta joue contre mon sein, alors je savais pourquoi j'existais, et rien d'autre n'avait d'importance.

Puis tu as grandi, tu as compris que la nuit était faite pour dormir et le jour pour découvrir. Et tu étais curieuse de tout, promenant un regard fort sérieux sous tes sourcils froncés.

Très vite, le temps de reprendre mon travail est arrivé. C'est là que j'ai dû admettre que tu ne faisais pas partie de mon plan de carrière ! J'ai repris du service de nuit, écrivant quand la maisonnée dormait profondément. Je te l'avoue, j'ai trouvé cela difficile, je te trouvais envahissante. Cela a été l'époque où ma patience a été le plus malmenée. Mais tu te moquais de mes états d'âme et de mes impatiences avec de grands éclats de rire, impatiente toi-même de tout savoir, de tout voir. Et finalement mon corps s'est habitué à ce nouvel horaire, couché tôt et levé aux aurores pendant que toi, tu continuais de grandir, devenant de plus en plus autonome. Nous avons fini par nous construire un petit train de vie qui nous convenait bien, un petit train de vie qui nous convient toujours fort bien !

Et voilà que depuis quelque temps, la vie commence à me faire signe, l'âge me rattrape. Tu seras la dernière. Bien que ce soit un choix que j'ai fait, une certaine nostalgie me fait débattre le cœur et fermer les bras sur une sensation de vide comme lorsque l'on vit une peine d'amour. Et toi, petit diable, tu refuses les câlins, trop occupée à explorer ton univers, gourmande de découvertes. Je te suis à deux pas derrière, juste au cas où, émue de te voir réinventer le monde à ta manière, rituel des petits de l'homme répété depuis la nuit des temps mais chaque fois unique.

Merci d'être là, petite bonne femme, merci de bousculer mon quotidien qui aurait pu s'encroûter dans une routine banale, trop confortable. Merci de m'obliger à prendre du temps pour toi, avec toi. À bien y penser, c'est à moi que je fais plaisir en le faisant. Parce que, vois-tu, petite fille, par tes rires et tes jeux qui sont aussi mes rires et mes jeux, tu m'offres le plus beau des cadeaux. Avec toi, je découvre chaque jour le secret de la jeunesse inépuisable. Et cela, petit bout de femme, ça n'a pas de prix…

Je t'aime, mon Alexie.

Maman

Louise Tremblay d'Essiambre
et la passion de la couleur

Ces dernières années, la passion des couleurs s'est intimement
mêlée à celle des mots. Toutes les deux, elles découlent d'un
pareil enthousiasme face à la création. Bien sûr, les premières
œuvres ne sont que des ébauches et tout comme pour
l'écriture, je pourrais cent fois me remettre au métier.
Mais comme le dit mon professeur, maître Charles Garo :
« À vouloir faire mieux, on risque de faire pire. La spontanéité
est gage de succès. Abandonnez-vous à l'inspiration et laissez
le pinceau parler pour vous. » C'est donc ce que je tente
de faire. Parfois déçue, parfois heureuse des résultats.
Chose certaine, la plénitude que je ressens à tenir un pinceau
rejoint celle vécue devant mon ordinateur quand je retrouve
mes personnages aux petites heures du jour alors
que la maisonnée dort encore. Ces moments que
j'arrache au sommeil sont des cadeaux de l'existence.
Ceux que je consacre à la peinture aussi.

Mademoiselle Marguerite

«Sur le coup de seize heures, sans exception,
depuis un an, mademoiselle Marguerite préparait le mélange
d'œufs et de lait, infusait le thé.»

Miss Cecilia Thompson

« Il troqua donc son petit gin tout à fait British du samedi soir,
dégusté correctement dans la chaleur de son foyer,
pour un pastis bien français de tous les jours, pris à la sauvette
au bistro du coin de la rue… »

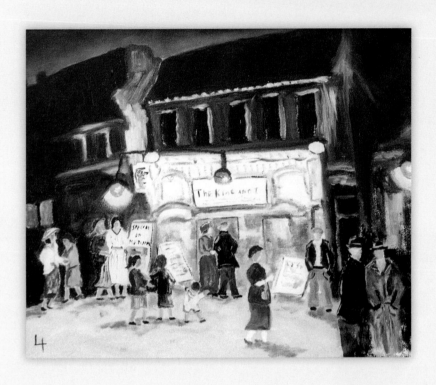

Lucienne B.

« Toute sa vie sociale et culturelle tenait à quelques livres
et à la télévision. Cette invention avait transformé sa vie,
elle qui n'avait jamais mis les pieds dans un théâtre
faute de moyens financiers. »

Grand-maman Yolande

« Tous les dimanches matin, après la grand-messe,
grand-maman Yolande faisait du sucre à la crème.
Au cas où… Le dimanche, depuis longtemps,
ils attendaient les petits-enfants. »

Maman Béatrice

« … celle qui avait fait figure de visionnaire,
tenant, sur un coin de sa table de cuisine,
la première garderie que la paroisse eût connu. »

Les jumelles Gagnon

« Un seul mode de vie : la couture.
Mais deux philosophies différentes :
Luce dessinait avec passion
et Lucie cousait sans conviction. »

Mamzelle Joséphine

« Même Irène l'écervelée et Irma
la pimbêche venaient à l'occasion
lui confier leurs interrogations. »

Madame Gaston

«Aussitôt elle se précipitait à la maison de campagne
pour la faire aérer et changer les draps du lit
qu'elle étendait derrière la maison au grand soleil.»

La petite demoiselle

« Tu seras la dernière…
Je t'aime, mon Alexie. »